LLYGAD DIEITHRYN

Llygad Dieithryn

Simon Chandler

Argraffiad cyntaf: 2023
ⓗ testun: Simon Chandler 2023

ISBN clawr meddal: 978-1-84527-861-8

ISBN elyfr: 978-1-84524-553-5

ISBN llyfr llafar: 978-1-84524-528-3

CYNGOR LLYFRAU CYMRU

Cyhoeddwyd gyda chymorth Cyngor Llyfrau Cymru

Cynllun y clawr: Sion Ilar

Cyhoeddwyd gan Wasg Carreg Gwalch,
12 Iard yr Orsaf, Llanrwst, Dyffryn Conwy, Cymru LL26 0EH.
Ffôn: 01492 642031
e-bost: llyfrau@carreg-gwalch.cymru
lle ar y we: www.carreg-gwalch.cymru

Argraffwyd a chyhoeddwyd yng Nghymru

I Tiffany, Oliver, Gwenllian, Ffrangcon a Joan

Diolchiadau

Ble i ddechrau?

Mae yna gymaint o bobl y mae'n rhaid i mi ddiolch iddyn nhw. Yn wir, oni bai amdanyn nhw, ni fyddai'r nofel hon yn bodoli.

Yn gyntaf oll, diolch i'r Gymraeg (sydd wastad wedi bod yn berson i mi) am newid fy mywyd yn llwyr.

Diolch i Flaenau Ffestiniog (fy nghartref ysbrydol i) am yr un rheswm.

Diolch i Llinos Griffin, tiwtor Cymraeg heb ei hail a pherson mor amryddawn a hael ei hysbryd. Mi aeth Llinos drwy bob gair o ddrafft cyntaf y nofel gyda fi pan mai dim ond breuddwyd gwrach oedd y gobaith lleiaf y gallai hi gael ei chyhoeddi ryw ddydd.

Diolch i Wasg Carreg Gwalch, ac yn enwedig i Nia Roberts am ei ffydd, ei hamynedd diddiwedd, ei chraffter a'i doniau hynod fel golygydd creadigol. Mae fy nyled i Nia'r un mor ddiddiwedd â'i hamynedd!

Diolch i Gyngor Llyfrau Cymru am gredu bod gen i gyfraniad gwerth chweil i'w wneud i fyd llenyddiaeth Gymraeg, ac am ei haelioni. Diolch hefyd i Siôn Ilar o'r Cyngor am ddylunio clawr trawiadol y nofel.

Diolch i Sian Northey am ei chynildeb dihafal a'i mentora pwyllog.

Diolch i Aled Lewis Evans am fy annog i (ar Faes Eisteddfod Genedlaethol Dyffryn Conwy yn Llanrwst) i ysgrifennu nofel yn y lle cyntaf, ac am ei holl anogaeth a chydweithredu ers hynny.

Diolch i Vivian Parry Williams am ei ysbrydoliaeth a'i gyngor doeth, ac iddo fe a'i annwyl wraig, Beryl, am fenthyca'u hystafell wydr i mi ar gyfer golygfa fwyaf tyngedfennol y nofel.

Diolch i Steffan ab Owain am ei gyflwyniad i hanes Blaenau Ffestiniog yn 2001, ac am ddarparu llun hanesyddol gwych o Bont-y-Queens ar gyfer clawr y nofel yn 2023.

Diolch i Elaine Roberts a Rachel Martin o Archifdy Gwynedd yn Nolgellau am eu cymorth ac am y croeso cynnes a roddon nhw i mi ym mis Tachwedd 2019.

Diolch i Greg Pearce a Daniela Schlick am ddarllen drafftiau cynharach o'r nofel ac am eu mewnbwn amhrisiadwy.

Diolch i Mererid Hopwood am leisio'r llyfr llafar sy'n cyd-fynd â'r nofel hon.

Diolch i Aneirin Karadog (fy athro cynganeddol i) am ei gyngor ieithyddol a thafodieithol.

Diolch i Laura Wyn am fod mor garedig â gollwng popeth er mwyn mynd trwy'r chwe phennod newydd yn ail ddrafft y nofel ar frys.

Diolch i Manon Steffan Ros a Llwyd Owen am eu hamser a'u cyngor hael.

Diolch i Iwan Morgan am ei gefnogaeth gyson a'i gymorth gwerthfawr.

Er na fydd hi'n deall gair o hyn, diolch i'm gwraig, Tiffany, am ei chariad ac am oddef yr oriau maith a dreuliais yng nghwmni holl gymeriadau'r nofel yn eu byd nhw.

Diolch i Heike Borkenhagen am fynd trwy gynnwys Almaeneg y nofel gyda fi, er na fydd hi'n deall hyn chwaith!

Diolch i Peter Evans a'm cyfeillion Cymraeg eraill, yn ogystal ag aelodau Grŵp Sgwrs a Pheint Manceinion.

Ac, yn olaf nid leiaf, diolch o waelod calon i chi am brynu'r copi hwn o'r nofel. Mae'n golygu gymaint i mi.

Pennod 1

05:10, fore Iau, 10fed Mehefin 1915.

Ystafell Gysgu 2, Gwersyll y De, Gwersyll-garchar Fron-goch, ger y Bala.

Prin y gallaf anadlu. Does fawr ddim awyr iach yn dod i mewn, ac ychydig iawn o olau sy'n treiddio trwy'r ffenestri bychain mewn pelydrau main, llychlyd. Mae fy nghorff yn foddfa o chwys a chroen fy nghefn yn glynu yn y fatres wellt fudr, anghyfforddus oddi tanaf. Er gwaetha'r gwres llaith yn yr ystafell dwi'n ei rhannu â chant o ddynion eraill, dydw i ddim yn meiddio codi'r flanced fras oddi arnaf rhag ofn i mi ddenu sylw'r llygod mawr y mae'r lle'n heigio â nhw. Mae'n siŵr eu bod nhw yma ymhell cyn i ni gyrraedd ddeufis yn ôl. Ni sy'n tresbasu ar eu tir nhw. Yn ddirybudd, dwi'n gwag-gyfogi wrth i don arall o ddrewdod dreiddio i'm ffroenau o gyfeiriad y ddau doiled agored.

Dim ond tair troedfedd sy'n gwahanu fy ngwely cyntefig wrth ochr y wal a gwely fy nghymydog ar yr ochr dde. Rhingyll Hans Schaumann yw hwnnw: yr unig swyddog o'm catrawd, Pedwerydd Gwarchodlu Grenadwyr y Frenhines o Berlin, a gafodd ei anfon yma gyda fi. Swyddogion Byddin yr Almaen yn unig sydd yn y gwersyll hwn, yn hytrach na milwyr cyffredin. Mae wyneb a breichiau Hans yn chwys i gyd ac mae'n mwmian wrth iddo droi a throsi'n aflonydd – hyd yn oed yn ei gwsg, mae'n amlwg bod ei nerfau wedi'u chwalu'n yfflon, a'r dyn fu gynt yn anhunanol ac amyneddgar wedi cilio i gragen ei gorff. Mae'n ddigon hawdd bod yn hwyliog a hael ein cymwynas o dan amgylchiadau arferol, wrth fyw bywyd moethus, ond mae arwyneb gwareiddiad yn denau. Yn hwyr neu'n hwyrach mae'n rhaid i ni i gyd dynnu'r mygydau rydym yn celu ein holl ffaeleddau y tu ôl iddyn nhw. Dyna'r broblem fwyaf yma. Does dim modd bod ar dy ben dy hun. Nid am eiliad. Does dim unman i guddio, a chaiff popeth ei ddinoethi, trwy gydol y dydd a thrwy gydol y nos. Bellach, mae Hans yn gwylltio'n gacwn sawl gwaith y dydd ac yn amau pawb a phopeth. Efallai mai llwgu i farwolaeth yn araf bach y mae'n heneidiau ni, fel mae ein cyrff yn llwgu.

Dim ond bara du, margarîn a chig sâl wedi'i ferwi gawn ni yma. Wel, mae 'na datws bychain hefyd, ond maen nhw'n anfwytadwy i bob pwrpas, heb sôn am y ffa sydd mor wydn â choesau llwyni.

Mae Martha, fy merch, yn dathlu'i phen blwydd yn bedair oed heddiw, heb ei thad. Dwi'n hiraethu cymaint amdani hi a Karl fy mab... a Bertha, wrth gwrs, eu mam brydferth. Ydy Bertha wedi derbyn fy llythyr, tybed, neu ydy hi'n credu bod ei gŵr wedi cael ei ladd ar faes y gad? Anfonais y llythyr fis yn ôl, yn fuan ar ôl i long fawr Brydeinig y *Lusitania* gael ei suddo ym Môr Iwerddon. Yn ôl *The Times*, un o'r papurau newydd prin sydd ar gael yn y gwersyll, llong danfor fy *Vaterland* i wnaeth ei suddo, ond pwy a ŵyr beth sy'n wir bellach? Y gwir yw'r golled gyntaf mewn unrhyw ryfel. Beth bynnag, mae'r rhan fwyaf o'r gwarchodwyr wedi bod yn llawer casach ers y digwyddiad dychrynllyd hwnnw, a chawn ni ddim derbyn llyfrau o adref ar hyn o bryd chwaith. Wn i ddim a yw hynny'n wir am lythyrau hefyd – os felly, mae'n ddigon posib bod Bertha eisoes wedi ateb, ond bod sensor y gwersyll wedi atal y llythyr, neu ei ddifa. Wn i ddim pa mor hir mae'r broses o sensro llythyrau oddi wrth garcharorion rhyfel yn ei gymryd. Beth bynnag yw'r ateb, mae'r ansicrwydd yn annioddefol. Mae'n rhaid i mi geisio meddwl am bethau eraill.

Pethau fel dianc. Mae'n anodd peidio â meddwl am hynny. Efallai y byddai'n bosibl – wedi'r cyfan, mae'r rhan fwyaf o'r gwarchodwyr yn eithaf musgrell. Hen filwyr o'r Ffiwsilwyr Brenhinol Cymreig ydyn nhw, dynion sy'n rhy oedrannus i fynd i'r ffrynt, mae'n debyg. Ond ydyn nhw'n rhy hen i'n saethu ni'n farw petaen ni'n ceisio torri'n rhydd? Nid oes neb wedi rhoi hynny ar brawf hyd yma, er bod y demtasiwn yn gyson. Mae'r ffens ddeuddeng troedfedd o uchder sy'n amgylchynu'r gwersyll fel magned i ni i gyd: mae weiren bigog ar ei phen, a chaiff ei gwarchod ddydd a nos gan warchodwyr arfog sy'n sefyll ar lwyfannau pren. Mae bod yma'n well na gorfod wynebu marwolaeth ar y ffrynt, ac yn well na gorfod ceisio lladd cyd-ddyn, ond mae'n artaith serch hynny.

Mae'r hyn sydd y tu allan i'r ffens allanol yn gymaint o artaith â'r carchar ei hun. A finnau wedi cael fy magu yng nghanol bwrlwm dinas, mae'n anodd dod i delerau â theimlo mor ynysig mewn ardal mor weledig, mor unig ac mor ddiflas ym mhellafoedd y ddaear.

Bydd hwter hanner awr wedi pump yn canu unrhyw funud. Wedyn, bydd yn rhaid i ni wisgo'n gyflym, sy'n anodd ar ôl noson hunllefus arall heb fawr o gwsg, a chael ein gyrru fel anifeiliaid i'r sgwâr mewnol i gael ein cyfrif. Yr un ydy'r drefn bob dydd, heb eithriad, boed hindda neu ddrycin.

Mae'n hawdd suddo i anobaith dwfn yma, ac mae'r teimladau du'n llifo drosom heb i ni sylwi, rywsut. Ond mae rhywbeth yn digwydd weithiau, yn hollol annisgwyl, i lusgo rhywun o'r tywyllwch. Un prynhawn, tua thair wythnos yn ôl, roeddwn yn crwydro'n llesg o amgylch yr iard pan ddigwyddais glywed dau ddyn lleol, oedd wedi dod i'r gwersyll i wneud gwaith cynnal a chadw, yn siarad gyda'i gilydd mewn iaith nad oeddwn i erioed wedi'i chlywed o'r blaen. Er mor anghyfarwydd y geiriau, cefais y teimlad ei bod yn gartrefol, yn gynnes. Pan es i atyn nhw i holi pa iaith oedd hi, dyma nhw'n chwerthin a gwneud hwyl am fy mhen, ond doedd dim byd maleisus yn eu hymateb. Yn wir, roedden nhw'n glên iawn ar ôl sylweddoli pa mor anwybodus oeddwn i.

'*Welsh*,' meddai un ohonyn nhw'n syml, '*the language of Heaven!*'

Iaith y Nefoedd: dyna lygedyn o heulwen i rywun yn nyfnderoedd Uffern.

Roedd balchder yn y ffordd roedd y crefftwyr yn siarad eu hiaith, ond hefyd rhyw gariad, rhyw ysbryd cenedlaethol. Doeddwn i erioed wedi meddwl am Gymru fel cenedl cyn y diwrnod hwnnw, dim ond fel rhan o Loegr. Yn sicr, doeddwn i ddim yn ymwybodol fod gan Gymru ei hiaith ei hun.

Dechreuais deimlo'n dwp iawn. Dwi'n rhingyll ym myddin ogoneddus yr Almaen (er mai ond ddwy flynedd yn ôl yr ymunais, a hynny er mwyn plesio fy nhad, Oberst Wilhelm von Hertling, oedd yn filwr yn yr un gatrawd). Dwi wedi cael addysg ragorol, dwi'n gyfreithiwr, yn siarad Saesneg, Ffrangeg ac Eidaleg, ac wedi etifeddu swm sylweddol o arian ar ôl troi'n ddeg ar hugain oed, ond nid oedd dim o hynny'n cyfrif i'r dynion hyn. Yr unig beth a wyddent hwy oedd fy mod i, Friedrich von Hertling, yn ddi-glem yn eu byd hwy. Roedden nhw mewn clwb cyfrinachol, a dechreuais deimlo awydd ysol i fod yn aelod o'r clwb hwnnw. Wn i ddim pam, ond y teimlad rhyfedd hwnnw fu f'achubiaeth i. O'r eiliad honno roedd gen i bwrpas, ffordd o oroesi'r llymder a'r gwewyr.

Y bore wedyn, darganfyddais fod gwersi Cymraeg yn cael eu cynnal yn ddyddiol yn y Cwt Addysgu. Preifat Jones yw'r athro – yr unig warchodwr nad yw'n hen, hyd y gwelaf. Yn wir, mae'n edrych yn iau na fi, os rhywbeth. Mae'n ddyn na welais ei debyg o'r blaen: yn chwarelwr gwerinol ac eto'n darllen yn eang ac yn hyddysg tu hwnt. Sut mae hynny'n bosib?

Ers y diwrnod hwnnw dair wythnos yn ôl, er nad yw fy nghyd-garcharorion yn gallu canolbwyntio ar unrhyw beth, mae gen i drefn feunyddiol y gallaf daflu fy hun i mewn iddi. Mae'n deimlad braf. Rwyf wedi bod yn amsugno'r iaith Gymraeg bob munud o'r dydd a manteisio ar bob cyfle i'w dysgu. Yn swyddogol, caniateir astudio yn y Cwt Addysgu am ddwy awr yn y bore ac am ddwy awr a hanner yn y prynhawn, ond rwyf wedi bod yn gwneud llawer mwy na hynny i lenwi'r oriau maith, a gwario fy lwfans wythnosol pitw ar bapur ac ysgrifbin yn hytrach na bwyd ychwanegol. Ydy, mae'n gallu bod yn anodd anwybyddu'r holl glebran yn yr ystafell gysgu pan dwi'n ceisio canolbwyntio ar fy astudiaethau, ond rhaid dyfalbarhau. Dwi'n gwrthod methu. Er bod y Gymraeg yn ymddangos yn amhosib ei dysgu weithiau, yn enwedig pan fyddaf yn ei chael hi'n anodd cofio rhyw air neu'i gilydd, gwn na allaf ddigalonni.

Dwi'n meddwl bod fy athro newydd yn gwerthfawrogi fy angerdd. Mae'n hael a chefnogol, gan baratoi taflenni geirfa a gramadeg ar fy nghyfer yn ogystal â rhoi ei gopïau o'r papur newydd wythnosol lleol, Y Rhedegydd, i mi ar ôl iddo'u darllen. Mae o wedi rhoi copi o eiriadur dwyieithog i mi, hyd yn oed, a gadael i mi fenthyca'i gopi o nofel gan awdur o'r enw Daniel Owen. Dwi'n ceisio'i darllen, gyda help fy ngeiriadur newydd, a thrwy ei thudalennau dwi'n dysgu rhywfaint am ddiwylliant y Cymry Cymraeg y tu allan i'r ffensys sy'n f'amgylchynu. Efallai fy mod i'n cael fy nghyfyngu'n gorfforol, ond does dim modd caethiwo dychymyg.

Yn sydyn, caf fy nychryn gan waedd groch yr hwter sy'n rhwygo drwy fy mreuddwyd a'm taflu'n ôl i wirionedd caled fy sefyllfa.

Pennod 2

15:01, brynhawn Gwener, 19eg Gorffennaf 2019.

Ysgol Moll-Gymnasium, Neckarau, Mannheim, yr Almaen.

Diolchais mai dim ond pedwar munud ar ddeg oedd tan ddiwedd gwers olaf yr wythnos. Fel arfer ro'n i'n mwynhau dysgu Saesneg i Flwyddyn 6, er y byddai dysgu Ffrangeg neu Ladin, hyd yn oed, wedi bod yn well gen i. Roedd y plant i gyd yn ddymunol... wel, ar wahân i Lukas, Max a Hanna, ond doedd fy meddwl ddim ar waith gan fy mod yn dal i alaru ar ôl colli Mam, a'r angladd union wythnos ynghynt. Roedd hi'n fwy na mam i mi – hi oedd un o'm cyfeillion agosaf. Ar wahân i Silke, fy ffrind gorau ers dyddiau ysgol, Mam oedd yr unig berson ro'n i'n gallu dibynnu arni ac ymddiried ynddi'n llwyr. Doedd dweud fy mod yn hiraethu amdani ddim yn ddigon, rywsut. Roedd hi wedi fy nghynghori trwy gydol fy mhlentyndod a'm glasoed, ac wedi parhau i wneud hynny hyd at ei hanadl olaf.

Doedd fy nghariad, Karsten, ddim wedi bod yn llawer o gefn i mi drwy'r brofedigaeth gan ei fod yn gweithio oriau hir, yn cynnwys mwy a mwy o nosweithiau a phenwythnosau; ond hyd yn oed pan oedden ni gyda'n gilydd roedd fel petai ei feddwl yn bell. Allwn i ddim peidio â meddwl nad oedd yn gwrando arnaf yn ddiweddar wrth i mi geisio cael sgwrs gall gydag ef.

Ches i ddim cymorth ganddo i drefnu'r angladd. Byddai Silke wedi bod yn barod i fy helpu, wrth gwrs, gan wybod fy mod yn unig blentyn, ond doeddwn i ddim eisiau bod yn faich arni gan nad ydy hi'n aelod o'r teulu. Ddaeth fy nhad ddim, a doeddwn i ddim wedi disgwyl iddo ddod. Prin yr ydw i wedi gweld lliw ei din ers pan o'n i'n ddeuddeg oed, wedi'r cwbl. Daeth rhai o fy ffrindiau i'r gwasanaeth, yn ogystal ag un neu ddau o'm cyd-athrawon, ac roedden nhw i gyd yn hael eu cydymdeimlad, ond ar ôl y diwrnod hwnnw dechreuais deimlo'r unigrwydd yn fy llethu.

Caeodd gwres trymaidd y prynhawn amdanaf wrth i mi edrych allan drwy ffenestr fawr fy ystafell ddosbarth ar laswellt a choed gardd breifat yr ysgol. Roedd fy ngheseiliau'n ludiog o dan fy mlows a rhedodd diferyn arall o chwys i lawr fy ochr. Ych a fi. Diolch byth bod gen i amser i neidio o dan y gawod cyn i Karsten a minnau fynd allan am ein pitsa-nos-Wener arferol.

Roeddwn wedi gofyn i'r plant ysgrifennu stori fer yn Saesneg, a chrwydrais o gwmpas yr ystafell er mwyn archwilio ffrwyth eu llafur.

'Felly... Lea,' meddwn wrth gyrraedd desg y ferch lon, 'beth sydd gen ti ar fy nghyfer i heddiw? Stori am bêl-droed efallai, fel y tro diwethaf?' Gwyddwn ei bod wrth ei bodd â phob math o chwaraeon a bod y teulu oll yn cefnogi tîm Schalke 04.

'Ie, Frau Fischer!'

Plygais ymlaen er mwyn darllen ei llawysgrifen fân, daclus.

'Last week,' dechreuodd stori Lea'n eithaf addawol, 'are we towards Gelsenkirchen travelled, around David Wagner to see. He is the new trainer by Schalke 04 and very friendly. He has also a funny beard, as I find. The people in Huddersfield were to him very mean. He has to me even spoken. I was very excited.'

'Mmm. Da iawn, Lea,' oedd fy unig ateb, a gwenodd Lea o glust i glust. Chwarae teg iddi. Dylwn fod wedi llenwi'r dudalen â chywiriadau ac fel arfer fyddai hi ddim wedi cael dianc mor rhwydd, ond doedd gen i dim calon i godi brychau, rhwng popeth.

Roedd Karsten yn arfer fy nghyhuddo o fod yn *grammar Nazi* oherwydd fy 'null gorfanwl', fel roedd e'n ei ddisgrifio, yn ogystal â'm tuedd i edrych i lawr fy nhrwyn ar unrhyw flerwch ieithyddol, hyd yn oed gan blant un ar ddeg oed. Efallai fod Karsten yn iawn, a dyna rywbeth arall nad oeddwn yn gallu ei oddef.

'*Grammatiknazi* ydw i,' oedd fy ateb arferol, 'nid *grammar Nazi*. Ddylet ti byth ddefnyddio priod-ddulliau Seisnig pan wyt ti'n siarad Almaeneg. Mae'r Saesneg yn beryglus o lechwraidd, wyddost ti. Nid *airport* yw e, ond maes awyr. Nid *deadline*, ond terfyn amser. Nid *downloaden*, ond lawrlwytho. Bendith y Tad, byddwn ni i gyd yn siarad Denglisch ymhen ugain mlynedd os na fyddwn ni'n ofalus!' Roedd Karsten wedi dechrau defnyddio geiriau Saesneg yn lle rhai Almaeneg yn llawer amlach ers iddo ddechrau gweithio fel cynghorwr rheoli busnes i gwmni mawr yng nghanol y ddinas, ac roedd hynny'n fy nghorddi.

Cwrddais â Karsten ar ddiwedd ein cyfnod yn yr un brifysgol ym Merlin bum mlynedd ynghynt. Roedd e newydd raddio mewn Economeg, a finnau mewn Ffrangeg a Saesneg. Mewn gwirionedd, roeddem mor wahanol â mêl a menyn, ond roedd ein perthynas yn gweithio rywsut, er gwaethaf popeth. Fodd bynnag, roeddwn i'n siomedig nad oedd e'n gallu amgyffred fy nghariad tuag at yr iaith Gymraeg a diwylliant Cymru.

Ychydig ar ôl i mi gwrdd â Karsten y dechreuais ddysgu'r iaith: fy mhumed, ond fy hoff iaith o bell ffordd, a'r harddaf y byd. Yn anuniongyrchol, fy hen, hen dad-cu, Friedrich von Hertling, wnaeth fy sbarduno i ddysgu Cymraeg yn y lle cyntaf. Roedd e wastad wedi bod yn rhyw fath o chwedl yn fy nychymyg – dyn o deulu boneddigaidd a chyfoethog ym Merlin, dyn nad oedd yn rhaid iddo weithio o gwbl oherwydd holl arian y teulu, ond a oedd wedi dysgu sawl iaith a gwneud ei ffortiwn ei hun trwy adeiladu, prynu, rhedeg a datblygu sawl busnes ledled Ewrop. Bu'n swyddog ym Myddin yr Almaen yn ystod y Rhyfel Mawr, ond treuliodd y rhan fwyaf o'r rhyfel yn garcharor yng Nghymru lle dysgodd siarad Cymraeg. Collodd bopeth yn y pen draw o ganlyniad i'r Ail Ryfel Byd, a chafodd ei ladd yn chwe deg oed yn ystod ymosodiad bomio Awyrlu Brenhinol Prydain ar Ferlin yn Ebrill 1945.

Oherwydd i mi gael fy swyno gan bopeth Cymreig a Chymraeg ar ôl clywed y straeon am fy hen, hen dad-cu, fe aeth Karsten a minnau ar ein gwyliau cyntaf i Geredigion. Anghofia i fyth y profiad o graffu ar yr arwydd dwyieithog ar draeth Llangrannog yn syth ar ôl cyrraedd – cefais fy nghyfareddu wrth weld y Gymraeg mewn du a gwyn, ac yn nes ymlaen y noson honno clywais yr iaith am y tro cyntaf mewn bwyty. O'r eiliad honno roeddwn i'n sownd ynddi, a doeddwn i ddim eisiau cael fy rhyddhau. Daeth y Gymraeg yn gastell roedd yn rhaid i mi ei feddiannu ac, yn syth ar ôl i ni ddychwelyd i'r Almaen, es ati i gynllunio fy ymgyrch. Prynais becyn o lyfrau cwrs a chrynoddisgiau, geiriadur Almaeneg / Cymraeg mawr a llyfrau gramadeg. Chwiliais am gymaint o adnoddau digidol ac ar-lein ag y gallwn i ddiwallu fy syched am yr eirfa newydd a'r holl reolau gramadegol. O hynny ymlaen, roeddwn i mewn cariad.

Cyn hir, dechreuodd Karsten weld bod y Gymraeg yn dwyn mwy a mwy ohonaf oddi wrtho, a chefais gryn drafferth i'w berswadio i ddod gyda mi am bum niwrnod o wyliau yn Sir Conwy pan fyddai'r Eisteddfod Genedlaethol yn yr ardal. Roedd ei frwdfrydedd yn llugoer a dweud y lleiaf, a finnau ar y llaw arall yn methu ag aros i deithio i Gymru ar yr ail o Awst. Pythefnos oedd i fynd, ac roeddwn yn llawn cyffro.

'Frau Fischer!' Cefais fy nihuno o'm myfyrdod gan lais hyf Hanna. 'Mae'ch ffôn chi'n canu, Frau Fischer!'

Roedd Hanna'n iawn. Atseiniai offerynnau taro Affricanaidd cân Al Lewis 'Pan Fyddai yn Simbabwe' dros y dosbarth.

Uffern dân! Rhaid fy mod wedi anghofio distewi fy ffôn ar

ôl siarad â'r trefnydd angladdau ynglŷn â llwch Mam amser cinio. Roeddwn ar fin pwyso'r botwm coch er mwyn gwrthod yr alwad pan sylwais ar enw'r galwr: *Karsten, ffôn symudol*. Doedd e erioed wedi fy ffonio yn ystod y dydd o'r blaen, rhag ofn iddo darfu ar wers. Rhaid bod rhywbeth wedi digwydd. Ond cyn i mi allu derbyn yr alwad, peidiodd y canu.

'Ai'ch cariad chi oedd hwnna, Frau Fischer?' gofynnodd Hanna'n ddigywilydd, a chwarddodd rhai o'r plant.

'Nage,' atebais yn gelwyddog, ond roedd y gwrid ar fy wyneb wedi fy mradychu. Aeth murmur o gwmpas y dosbarth.

'Reit,' galwais, yn awyddus i dynnu sylw'r plant at rywbeth arall... unrhyw beth arall. 'Pwy sydd eisiau darllen ei stori fer i'r dosbarth i gyd?'

Distawrydd annifyr.

'Beth am Hanna?' gofynnais, gan droi ati.

Doedd gan Hanna, â'i Saesneg anobeithiol, ddim awydd o gwbl i ddarllen ei stori fer yn uchel, roedd hynny'n amlwg, ond arbedwyd hi gan sŵn arall o'm ffôn: roedd neges llais wedi ei gadael.

'Arhoswch funud, blant,' dywedais, gan droi fy nghefn arnynt, 'a gweithiwch ar eich straeon os gwelwch yn dda.'

Fyddwn i ddim wedi breuddwydio am dorri ar draws dosbarth fel arfer, ond roedd rhywbeth yn dweud wrtha i fod y neges yn un bwysig. Teipiais fy nghyfrinair: 1-9-6-2.

Ar ôl llais y ddynes yn fy ffôn, clywais lais Karsten. Doedd o ddim yn swnio mor hyderus ag arfer – i'r gwrthwyneb, swniai'n eithaf lletchwith.

'Helo Katja... mae'n rhaid dy fod ti'n dysgu... gwranda, mae'n wir ddrwg gen i, ond alla i ddim dod am bitsa heno. Wel... y gwir yw, alla i ddim gwneud hyn mwyach... ni, dwi'n feddwl. Dwi ddim yn meddwl bod ein perthynas ni'n gweithio bellach. Y peth... wel, y peth yw... do'n i ddim eisiau dweud wrthat ti cyn hyn, o ystyried... wel, dy fam, ond... wel, dwi wedi bod yn gweld

Micha am sbel. Dwi'n gwybod y dylwn i fod wedi dweud wrthat ti'n gynt, ond ro'n i mewn sefyllfa amhosib, ti'n deall? Dwi ddim wedi bod yn teimlo... ers tro. Ti'n haeddu rhywun sy'n dy garu di gant y cant, rhywun llawer gwell na fi, a dwi'n wirioneddol sori nad fi yw'r person hwnnw. Ti'n berson anhygoel, wir. Fy mai i yw hyn i gyd. Gobeithio y cei di ad-daliad am y gwyliau. Dwi ddim eisiau ceiniog yn ôl. Gyda llaw, ro'n i'n digwydd pasio dy fflat bore 'ma ac mi rois i fy allwedd drwy dy flwch llythyrau. Wel, a dweud y gwir, es i mewn i nôl fy mhethau ac... wel, ro'n i wedi pacio'r stwff wnest ti ei adael yn fy fflat i, ac mi adewais y cyfan ar fwrdd y gegin. Paid â phoeni am roi allwedd fy fflat i'n ôl – wna i newid y cloeon. Dwi mor sori, Katja, ond wn i ddim beth i'w ddweud... wela i di o gwmpas, ie? Hwyl fawr i ti Katja, hwyl.'

Distawodd y llinell gyda chlic.

'Diwedd y neges,' meddai'r ddynes yn fy ffôn yn siriol.

A dyna fe. Pum mlynedd, a dyna'r cwbl oedd ganddo i'w ddweud. Am gachgi! Roedd e'n gwybod yn iawn nad yw dosbarth olaf y dydd yn gorffen tan chwarter wedi tri. Hefyd, 'wela i di o gwmpas'? Go brin! Roedd e am newid y cloeon, hyd yn oed, er mwyn sicrhau na fyddwn yn mynd draw i'w weld. Doedd fawr o syndod nad oedd ganddo unrhyw fwriad o orffen 'da fi mewn sgwrs go iawn, hyd yn oed ar y ffôn. Ond Micha... myn uffern i! Roedd y datguddiad hwnnw'n ddigon i godi cyfog arna i. Michaela Martens: un o'n ffrindiau ni o'r brifysgol a oedd wedi symud i Mannheim ryw ddwy flynedd ynghynt i weithio yn yr un cwmni â Karsten. Roeddwn wastad wedi amau ei bod hi'n ei ffansïo. Ers pryd roedd hyn wedi bod yn mynd ymlaen? A pham na welais i'r arwyddion? Ac i wneud pethau hyd yn oed yn waeth, roedd fy nosbarth i gyd wedi clywed ei neges, siŵr o fod.

'Y cythraul!' poerais dan fy ngwynt wrth i fy nagrau ddechrau llifo.

'Ydych chi'n iawn, Frau Fischer?' holodd Lea, yn llawn pryder. 'Chi wedi troi'n wyn.'

'Ydw, diolch Lea,' atebais, 'dwi'n hollol iawn. Mae gen i rywbeth yn fy llygad, dyna i gyd.'

Ond doeddwn i ddim yn iawn. Roedd fy nghalon wedi'i thorri eto.

Pennod 3

11:38, fore Sadwrn, 20fed Gorffennaf 2019.

Torwiesenstraße, Lindenhof, Mannheim, yr Almaen.

Atseiniodd 'Pan Fyddai yn Simbabwe' o fy ffôn unwaith eto. Silke oedd ar ben arall y llinell.

'Katja? Ble wyt ti?'

'Yn fflat Mam. Ro'n i'n meddwl ei bod hi'n hen bryd i mi fynd ati i roi trefn ar ei phapurau.'

'Ti am i mi bicio draw i dy helpu di?'

'Na, diolch i ti. Rhaid i mi ddelio â hyn ar fy mhen fy hun.'

'Ocê, ond... ti'n iawn? Oherwydd... wel, glywais i rywbeth rhyfedd iawn neithiwr. Amdanat ti a Karsten.'

'Y ffaith ei fod e wedi gorffen 'da fi?'

'Wel, ie. Ydy hynny'n wir felly? Beth ar y ddaear ddigwyddodd?'

'Ges i neges ganddo ar fy ffôn brynhawn ddoe.'

'Neges? Yn dweud beth?'

'Yn dweud fod e wedi bod yn "gweld Micha am sbel", dyna'i eiriau.'

'Na! Yr hen ddiawl!'

'Yn union.'

'Sut allai e wneud hynny i ti, yn enwedig mor fuan ar ôl i ti golli dy fam?'

'Mae e wedi bod yn aros ei gyfle ers tro, mae'n debyg.'

'Drycha, dwi'n gwybod nad nawr yw'r adeg orau i ddweud

hyn wrthat ti, ond dyw e fawr o golled yn fy marn i. Ti'n llawer rhy dda iddo.'

'O, mi wn i dy fod di'n ceisio helpu ac yn ei gasáu â chas perffaith, ond dyw dweud hynny wir ddim yn fy helpu i, dim ar hyn o bryd beth bynnag. Dwi'n teimlo fel petawn i'n wag tu mewn.'

'Katja fach. Gallwn i ei ladd e!'

'Paid â gwneud hynny – ddo' i ddim i dy weld di yn y carchar!'

Bu saib am ychydig eiliadau.

'Gysgaist ti neithiwr?' gofynnodd Silke o'r diwedd.

''Run winc a dweud y gwir, ond dyna fe. Fe ddo' i dros y peth, paid â phoeni.'

'Gwnei, mi wn i. A ti'n gwybod beth arall? Dwyt ti ddim angen dyn yn dy fywyd am sbel… er y bydd llwyth o ddynion ar dy ôl di, wrth gwrs.'

'O, wrth gwrs!' atebais yn goeglyd.

'Gwranda, Katja, ti'n daran o ferch. Taswn i'n ddyn, byddwn i'n dy ffansïo di'n rhacs!'

'Wn i ddim sut i gymryd hynny… ond ti'n iawn, dwi ddim angen dyn arall, a dwi ddim eisiau un chwaith. Mae hwn yn gyfle i sefyll ar fy nhraed fy hun am newid.'

'Yn union!'

'Ond, yn y cyfamser, mae gen i waith i'w wneud.'

'Papurau dy fam?'

'Papurau Mam.'

'Wel, ocê, ond coda'r ffôn os ti eisiau cwmni, iawn?'

'Iawn.'

'Caru ti, Katja.'

'Caru ti hefyd. Hwyl.'

Silke. Beth wnawn i yn y byd cas yma hebddi? Wastad yn gallu codi fy nghalon, byth ers i ni ddod yn ffrindiau yn yr ysgol gynradd ddwy flynedd ar bymtheg yn ôl. Wastad yn gwybod pryd i fy nghefnogi, ac yn gwybod yn union beth i'w ddweud. Heulwen mewn cnawd go iawn. Roedd ei gŵr, Markus, yn ddyn lwcus iawn.

Croesodd Karsten fy meddwl am eiliad boenus. Fyddai e'n aros yn Mannheim neu'n dychwelyd i Frankfurt, ei dref enedigol? Doedd hynny'n ddim i'w wneud â fi bellach, cofiais. Ceisiais beidio â meddwl amdano yn y gwely gyda Micha. Ers faint roedd e wedi bod yn anffyddlon? Beth oedd o'i le arna i? Oeddwn i'n rhy fyr neu'n rhy dew? Roedd gan Micha ffigwr fel crëyr glas. Ai dyna oedd e'n ei chwantu bellach, ar ôl honni ei fod yn addoli fy nghorff i? Efallai mai celwydd oedd hynny... efallai fod popeth wedi bod yn gelwydd.

Ceisiais ddisodli'r meddyliau brathog drwy droi'r hen radio llychlyd yn ystafell fyw Mam ymlaen, er bod y weithred honno'n tanio atgofion lu o'm plentyndod gyda hi. Roedd hynny'n boenus hefyd, yn enwedig wrth i fy llygaid ddisgyn ar y siôl Bersli binc oedd yn dal i orwedd ar ei hoff gadair freichiau wag; y siôl roedd ei henw hi wedi'i frodio y tu mewn iddi: *Angela*. Dim ond pum deg a phedair oed oedd Mam yn colli'i brwydr unochrog ac annheg yn erbyn canser y llwnc. Doedd dim dianc rhag poen rhwng popeth.

'Mae'r sefyllfa yn y Gwlff Persiaidd yn aros dan straen,' cyhoeddodd y darlledwr newyddion yn ffurfiol, 'ac Iran yn parhau i ddal llong olew sy'n hwylio dan faner Prydain. Mae Llundain yn bygwth Tehran...'

Diffoddais y radio'n syth – byddai distawrwydd yn gwneud mwy o les i mi na mwy o newyddion drwg. Codais oddi ar y soffa a mynd at y ffenestr, a chael fy nghyfarch gan yr un hen olygfa roeddwn wedi dod mor gyfarwydd â hi wrth i mi gael fy magu yn y fflat hon. O'r pedwerydd llawr gwelwn geir y cymdogion wedi'u parcio ar y stryd islaw, fy nghar fy hun yn eu plith: Volkswagen Beetle melyngoch hynafol oedd yn sefyl allan ymysg y ceir sgleiniog eraill. Edrychais ar yr adeiladau preswyl llawer mwy dymunol (a drud) ar ochr arall y stryd. Yn eironig, roedd gan Mam a finnau olygfa well na nhw – gwaith stwco mewn arlliwiau coeth o binc ac ocr, balconïau cain gyda blodau amryliw arnyn nhw a gerddi gwyrddion.

Troais oddi wrth y ffenestr at y bocsys cardfwrdd roeddwn wedi'u pentyrru yng nghanol llawr pren yr ystafell fyw. Doedd y papurau ynddyn nhw ddim am roi trefn arnyn nhw'u hunain, gwaetha'r modd, felly taniais fy ngliniadur ac agor ffeil Word newydd er mwyn catalogio'r cyfan. Codais un o'r bocsys ar hap ac agor y caead, a chododd arogl llwydni o'i ddyfnderoedd gan wneud i mi disian. Roedd y cynnwys yn hynafol: pentwr di-drefn o hen lythyrau, adroddiadau banc, prosbectysau, dogfennau cyfreithiol a phamffledi, heb sôn am swp o bapurau newydd o'r tri degau, y pedwar degau a'r pum degau, oll wedi crimpio a melynu.

Wrth fynd drwy bob darn o bapur sylweddolais nad oedd dim yn deilwng o gael ei gatalogio mewn gwirionedd, ond o leiaf roedd y gwaith wedi tynnu fy sylw oddi ar fy ngofidion ynglŷn â Karsten a Mam, a da o beth oedd hynny. Ar waelod y bocs roedd hen dun bisgedi rhydlyd gyda thamaid o bapur bregus wedi'i glymu iddo: roedd rhywun wedi ysgrifennu'r geiriau 'Tad-cu Berlin' ar y papur mewn ysgrifen traed brain. Mam-gu Lübeck wnaeth, mae'n rhaid – mam Mam a oedd wedi symud o Ferlin i Lübeck, porthladd ar Fôr y Baltig. Tynnais y caead oddi ar y tun. Ar ei waelod, gorweddai dau beth yn unig: hen lun du a gwyn ac amlen lwyd.

Edrychais ar yr hen ffotograff o ddyn golygus yn sefyll o flaen colofn y Siegessäule ac adeilad y Reichstag yn Berlin. Rhaid ei fod wedi cael ei dynnu cyn 1938, ystyriais, gan mai yn y flwyddyn honno y symudodd Hitler y gofeb anferth sawl can metr i ffwrdd. Pwy arall ond unben hollol wallgof fyddai wedi ystyried y fath beth? Gwenais wrth droi'r llun rownd a gweld fy mod yn llygad fy lle – roedd y geiriau 'Friedrich, Berlin, Mehefin 1930' ar ei gefn.

Friedrich von Hertling, fy hen, hen dad-cu oedd y dyn, a hyd yn oed mewn llun mor fach o'r gorffennol pell, disgleiriai carisma o'i lygaid a'i osgo. Edrychai fel seren ffilm gyda'i wallt tywyll a'i ddillad trwsiadus. Doeddwn i erioed wedi gweld llun ohono o'r blaen, a thynnais lun o'r ffotograff gyda fy ffôn er mwyn gallu ei gario gyda mi i bobman.

Codais yr amlen wedyn a thynnu llythyr ohoni oedd wedi'i ysgrifennu'n daclus ar bapur trwm o'r un lliw. Llythyr byr iawn oedd e – dim ond un dudalen – ac er mawr syndod i mi, Cymraeg oedd y geiriau. Darllenais.

Alun Jones
Carn Uchaf
Stryd Maenofferen
Blaenau Ffestiniog
Cymru

21ain Awst, 1939

Annwyl Friedrich,

Rwy'n ysgrifennu y llythyr hwn gyda chalon drom iawn.

Wn i ddim a fyddi di'n gallu maddau imi am fod mor fyrbwyll, ac am fy niffyg hunanddisgyblaeth, sydd wedi peryglu'r hyn yr ydym wedi bod yn gweithio tuag ato am flynyddoedd maith, a'r hyn yr ydym yn credu ynddo. Arnaf i mae'r bai i gyd am bopeth a fydd yn digwydd o hyn allan.

Rwy'n ofni na fydd pethau yr un fath eto. Rwy'n casáu fy hun gymaint, ac yn haeddu cael fy nghosbi. Yn wir, bydd y gosb yn siŵr o ddod cyn hir.

Gyda llaw, rwy'n deall dy benderfyniad yn llwyr bellach ac yn ymddiheuro am wrthod ei dderbyn. Ti ydy'r dyn busnes wedi'r cwbl. Rwyt ti wastad wedi gwybod beth sydd orau.

Yr eiddot yn ffyddlon iawn

Alun

Eisteddais mewn penbleth. Er fy mod yn deall pob gair, roedd cynnwys y llythyr yn ddirgelwch llwyr, a myrdd o gwestiynau'n bentwr yn fy mhen. Pwy oedd Alun Jones? Beth wnaeth e a oedd mor ddifrifol ac anfaddeuol, a beth oedd fy hen, hen dad-cu ac yntau wedi bod yn gweithio tuag ato am flynyddoedd? Beth oedd y gred oedd ganddyn nhw yn gyffredin? Ac yn fwy sylfaenol, sut wnaethon nhw ddod i adnabod ei gilydd yn y lle cyntaf?

Collais bob diddordeb yng nghynnwys gweddill y bocsys.

Tra oedd fy ngliniadur yn ailddeffro, tynnais lun o'r llythyr, a phan ddaeth y sgrin yn fyw es ati i gŵglo'r geiriau 'Alun Jones Blaenau Ffestiniog'.

Suddodd fy nghalon. Roedd bron i 80,000 o ganlyniadau, a doedd yr un ar dop y rhestr ddim yn edrych yn addawol: adroddiad am ddau ddyn a gafodd eu carcharu am ymosod ar ddyn arall a'i adael mewn pwll o waed. Neis iawn! Wedyn roedd adroddiad arall am fardd enwog fu farw, yn ogystal â phroffil dyn o'r enw Alun Jones oedd yn brif weithredwr ar elusen bwysig. Nid hon oedd y ffordd ymlaen, ystyriais, cyn cael syniad.

Agorais fy nhudalen Facebook a chwilio am 'Blaenau

Ffestiniog'. Llwyddiant! Cliciais ar eicon grŵp caeëdig o'r un enw oedd â 4,700 o aelodau, a phwyso'r botwm glas 'Join Group'.

Pennod 4

22:03, nos Lun, 22ain Gorffennaf 2019.

Ackerstraße, Neckarstadt-West, yr Almaen.

Roeddwn yn sefyll wrth ffenestr fy nghegin yn edrych ar y stryd dywyll, wag islaw. Taflai goleuadau prin y stryd byllau o olau gwan ar y palmentydd, a gallwn weld cwpl ifanc yn cusanu'n nwydwyllt yn y cysgodion. Teimlais bang o genfigen.

Tynnais y llenni ynghau a dychwelyd at fy ngwaith marcio. Suddodd fy nghalon – gwaith Lukas oedd o 'mlaen. Byddai hwn yn cymryd chwarter awr o leiaf, ac roedd hi'n hwyr yn barod. Roedd y plant yn cael trafferth canolbwyntio gyda phedwar diwrnod yn unig i fynd tan ddiwedd tymor yr haf, ac roedd hynny'n amlwg yn eu gwaith, ond y gwir oedd bod yr un peth yn wir amdanaf i hefyd. Cefais fy nhemtio i roi tic mawr ar y papur yn hytrach na brwydro drwy'r dryswch o wallau, ond ataliais fy hun. Wedi'r cwbl, nid bai Lukas oedd y ffaith fod ei dad yn y carchar am werthu cyffuriau, a bod ei fam yn amlwg yn methu ymdopi â phedwar o blant ar ei phen ei hun. Ond cyn i mi allu troi at ymdrech Lukas, clywais fy ngliniadur yn tincian wrth fy ochr. Derbyniwyd fy nghais i fod yn aelod o grŵp Facebook Blaenau Ffestiniog, o'r diwedd!

Yn llawn cyffro, agorais y dudalen a dechrau sgrolio i lawr y postiadau. Roedd stori am y Gadair a'r Goron o'r unig Eisteddfod Genedlaethol a gafodd ei chynnal yn y dref yn 1898, hysbyseb am gig Dafydd Iwan yng Nghlwb Royal Welsh

Blaenau, hysbysiad am gi coll a phostiad am ymweliad y gyfres S4C *Codi Pac* â'r dref. Diddorol, ond nid yr hyn roeddwn yn chwilio amdano. Penderfynais roi'r gorau i'm gwaith marcio am y noson.

Gydag albwm newydd Carwyn Ellis a Rio 18 yn chwarae yn y cefndir, es yn ôl i chwilio am... am beth yn union? Sgroliais i lawr ac i lawr ac i lawr nes i'm llygaid ddechrau blino, ac roeddwn ar fin diffodd fy ngliniadur a mynd i'r gwely pan lamodd rhywbeth oddi ar y sgrin a hoelio fy sylw. Postiad o'r 15fed o Ebrill 2019 oedd o, gan ddyn o'r enw Seiriol ap Dafydd. Darllenais.

'Wedi taro ar y llun yma yn yr atig – oes rhywun yn nabod un neu fwy o'r dynion? Rhowch wybod i mi plis! Diolch.'

Roedd y llun du a gwyn yn hen ac yn eithaf aneglur, ond gallwn weld, ym mlaen y llun, ddau bostyn gyda weiren bigog yn mynd trwyddynt. Y tu ôl i'r pyst safai rhesi o ddynion ar fuarth helaeth o flaen adeiladau brics isel. Edrychai'r adeiladau'n rhyfedd iawn, ac yn eu plith roedd dau dŵr – un hir a chul yn y cefndir ac un arall o flaen y llall, yn codi o do pigfain, hynod. Dim ond y dynion yn y rhes flaen allwn i eu gweld yn glir. Roedden nhw i gyd yn gwisgo lifrai, ac roedd gwahaniaethu rhyngddyn nhw'n anodd dros ben oherwydd ansawdd y llun. Ond, ar ôl edrych yn ofalus, gwelais fod y ddau filwr a safai un bob ochr i'r rhes yn gwisgo lifrai a chapiau oedd yn wahanol i'r lleill. Roedd gan y ddau osgo wahanol i'r gweddill hefyd, fel petaen nhw'n gwarchod y dynion eraill. Llun o wersyll-garchar oedd e, tybed? Ond pa ryfel, ble, a phryd? Mae'n rhaid bod y llun wedi cael ei dynnu yn y gaeaf gan fod y dynion i gyd yn gwisgo cotiau mawr, ac yn edrych yn oer ac yn brudd. Roedd yr awyr yn dywyll a phyllau dŵr ar y buarth o'u blaenau. Sylwais fod gan yr holl garcharorion fwstashys, ac eithrio un dyn a safai nesaf at y gwarchodwr ar ben chwith y rhes. Carlamodd fy nghalon. Cydiais yn fy ffôn ac agor y llun roeddwn wedi'i dynnu yn fflat Mam er mwyn cymharu'r ddau wyneb: wyneb fy hen, hen dad-cu'n sefyll o flaen y Siegessäule yn haul Berlin, ac wyneb y carcharor yn y gwersyll gaeafol. Roedd y carcharor o leiaf ddeng mlynedd yn iau, ond doedd dim dwywaith, Friedrich von Hertling oedd e. Anhygoel! Ond beth ddylwn i ei wneud gyda'r datguddiad hwn? Doeddwn i ddim am bostio unrhyw sylw cyhoeddus. Felly, anfonais gais ffrind at Seiriol ap Dafydd a gyrru neges breifat ato:

'Noswaith dda, Seiriol. Dwi'n aelod newydd o grŵp Blaenau Ffestiniog, ac newydd weld y llun wnaethoch chi'i bostio ar 15fed Ebrill. Dwi'n meddwl fy mod i'n adnabod un o'r dynion. Almaenes ydw i, gyda llaw, ac yn ysgrifennu o'r Almaen. Oes ganddoch chi unrhyw wybodaeth ynglŷn â'r llun? Byddai'n braf gallu trafod hyn rywbryd. Hwyl, Katja.'

Pennod 5

18:37, nos Wener, 30ain Ionawr 1920.

Bar y Queen's Hotel, Stryd Fawr, Blaenau Ffestiniog.

'Wyddwn i ddim fasach chi'n dŵad,' meddwn ar ôl dychwelyd o'r bar efo dau beint o Guinness, ac eisteddais i lawr wrth y bwrdd pren tywyll gyferbyn ag o.

'Diolch am hyn, Friedrich,' meddai Alun cyn cymryd llymaid o'r cwrw du fel petai'n torri syched mawr. 'Mi ddywedodd Rhian y basach chi yma.'

'Dwi ddim yn credu bod eich gwraig chi wedi mwynhau fy nghyfarfod mewn gwirionedd.'

'Peidiwch â chymryd hynny'n bersonol. Dyna sut mae hi... y dyddia yma, beth bynnag. Mae'n dda o beth bod eich Cymraeg chi mor benigamp, a'ch acen yn swnio mor lleol, hefyd! Mae'n rhyfeddol a deud y gwir! Fasa Edward y tu ôl i'r bar ddim wedi gwerthu peint i chi tasa fo wedi dyfalu mai Jyrm-... mai Almaenwr ydach chi, debyg.'

Wnes i ddim ateb am eiliad neu ddwy wrth i mi syllu ar adlewyrchiad goleuadau'r bar a thân yr aelwyd yn y ffenestr.

'Wel, fel mae'n digwydd, mae Edward *yn* gwybod... oherwydd 'mod i'n westai yma.' Dangosais allwedd fy ystafell westy iddo, a'r rhif 10 arni.

'Argol!'

'Wel, mi oedd yn rhaid i mi aros yn rwla.'

'Wrth gwrs,' meddai Alun yn chwithig wrth wrido â

chywilydd, 'doedd hi ddim yn fwriad gen i dramgwyddo, ond tydy pobol ddim yn hoff o Almaenwyr yma, o ystyried i ni golli tua thri chant o fechgyn yn y rhyfel... a sawl cyfaill yn eu plith.'

'Peidiwch â phoeni, tydach chi ddim wedi tramgwyddo o gwbl. Fi ddylsa ymddiheuro, beth bynnag... ac mae'n ddrwg gen i glywed am eich cyfeillion. Y gwir ydy ein bod ni'n hynod o amhoblogaidd ym mhobman y dyddia yma. Ond roedd dysgu Cymraeg yn help mawr i mi – i lwyddo i droi barn pobol, dwi'n feddwl.'

'Dwi'n siŵr ei fod o.'

'Er enghraifft, mi ddeudodd Edward na fydd o'n sôn wrth neb 'mod i'n Almaenwr gan 'mod i wedi mynd i'r drafferth o ddysgu ei iaith o ac ati, ond i ddod yn ôl at eich geiriau caredig, mi oedd gen i athro da.'

Chwarddodd Alun yn lletchwith. 'Dwi ddim yn siŵr am hynny... a chofiwch, dim ond am flwyddyn roeddach chi'n ddisgybl i mi. Be ddigwyddodd wedyn?'

Roedd hi'n anodd clywed fy nghyn-athro'n iawn uwchben y dwndwr, ac ar ben hynny roedd gen i ofn fod y gair yn prysur ledaenu o gwmpas y bar myglyd bod y gelyn ymhlith yr yfwyr nos Wener, a bod pawb yn ciledrych arnom.

'Wel,' dechreuais egluro, 'yn eitha buan ar ôl i chi gael eich anfon i'r ffrynt, dyma'r gwarchodwyr eraill yn sylweddoli ein bod ni – y carcharorion Almaenig, hynny ydy – ein bod ni'n tynnu 'mlaen yn eitha da efo'r Gwyddelod ddaeth i'r Fron-goch wedi Rhyfel y Pasg. Doedden nhw ddim yn hapus!'

Chwarddodd Alun eto. 'Na, mi fedra i ddychmygu!'

'Felly, mi gawson ni i gyd ein hanfon i wersylloedd gwahanol. I Ddyffryn Aled yn fy achos i.'

'Yr hen blasty 'na ger Llansannan?'

'Ia, ond twll o le oedd o, a deud y gwir. Dim ond cant ohonon ni oedd yno.'

'Ro'n i'n meddwl mai gwersyll crand ar gyfer swyddogion yn y Llynges yn unig oedd hwnnw.'

'Ia, yn y bôn. Wel, mae'n rhaid bod y plasty wedi bod yn grand unwaith, cyn i Fyddin Prydain ei ddryllio'n yfflon. Does gen i ddim syniad pam y ces i fy anfon yno, ond mi o'n i'n ddiolchgar iawn.'

'Ond ddywedoch chi ddim gynna ei fod o'n dwll o le?'

'Do, do, mi oedd y piso'n arfer gollwng o'r tai bach ar y llawr cynta i'r ystafell fwyta islaw. Mi oedd yn rhaid i ni fwyta allan o duniau efo'n bysedd hefyd.'

'Wir?'

'Wir. Ar ben hynny, doedd dim lle i ni i gyd yn y plasty beth bynnag. Dim ond pump ar hugain o ystafelloedd sydd yno.'

'Dim ond pump ar hugain!'

'Wel, mae'n blasty, cofiwch. 'Ta waeth, ro'n i'n gorfod byw efo llond llaw o ddynion eraill mewn cwt yn yr ardd, oedd yn drybeilig o oer yn y gaea. Mi fu un ohonyn nhw farw o achos yr oerfel, hyd yn oed. A doedd o ddim yn help fod pennaeth y gwersyll yn casáu Almaenwyr. Mi aeth o allan o'i ffordd i achosi problemau i ni.'

'Be wnaeth o?'

'Mi fyddai o'n stopio'n post ni am chwe wythnos petaen ni'n gwneud y peth lleia o'i le. Ond roedd y gwersyll yng Nghymru, a dyna oedd yn bwysig i mi.'

'Oherwydd y cyfle i ddysgu'r iaith?'

'Ia, yn union. Mi wnes i lwyddo i siarad Cymraeg efo'r gwarchodwyr am oriau bob dydd.'

'Iesgob! Beth ddigwyddodd ar ôl i'r rhyfel ddod i ben?'

'Dim byd am gyfnod hir... ond, o'r diwedd, mi ges i fy anfon i'r Almaen fis Gorffennaf y llynedd, ar ôl i Gytundeb Versailles gael ei lofnodi.'

'A sut oedd petha adra, yn Jyr- ... yn yr Almaen?'

'Ro'n i'n teimlo rhyddhad, wrth gwrs, i ryw raddau... a

chydig bach o lawenydd o weld fy ngwraig a fy... wel, fy mhlentyn.'

'Un plentyn sy gynnoch chi?'

'Ia... ond mi oedd gen i ddau, tan yn ddiweddar. Mi fasa Martha wedi bod yn naw oed fis Mehefin, ond mi fu hi farw llynedd, cyn i mi gyrraedd adra, o Ffliw Sbaen.'

'O ... mae'n ddrwg gen i glywed.'

'Diolch. Oes gynnoch chi blant?'

'Dau, Gwenllïan a Geraint.'

'Enwau Cymraeg hyfryd.'

'Diolch i chi,' meddai Alun, a chlywais dinc o euogrwydd yn ei lais.

'Ta waeth, doedd dim llawer i deimlo'n llawen amdano ar ôl cyrraedd adra mewn gwirionedd,' eglurais. 'Mi oedd 'na awyrgylch digon digalon a gorchfygedig yno... a does dim byd wedi newid hyd heddiw. Mae 'na gymaint o ddynion o gwmpas dinas Berlin a gafodd eu hanafu'n gas yn y rhyfel – cyn-filwyr heb freichiau, heb goesau, heb glustiau a llygaid, efo hanner eu hwynebau ar goll. Mae pawb yn cilio rhagddyn nhw, fel tasa'r dynion druan yn eu hatgoffa fod y wlad wedi cael ei threchu mewn ffordd mor waradwyddus. A deud y gwir, dydy gweddill y milwyr a ddaeth yn ôl yn ddianaf ddim wedi cael eu trin yn llawer gwell. Mae fel petaen nhw'n cael y bai am bopeth, yn hytrach na'r Kaiser. Hen beth cas. Mi ges i fy nadrithio, a deud y lleia. Beth oedd pwynt yr holl beth? Rhagor o *Lebensraum*? Dyna un dda! Mae gynnon ni lawer llai bellach!' Bu saib am ychydig eiliadau. 'O, ddrwg gen i,' ychwanegais ar ôl i mi sylwi ar fy nghamgymeriad, 'mae *Lebensraum* yn golygu... wel, mae o'n air anodd i'w gyfieithu.'

'Beth am... lle i fyw, lle i anadlu, lle i chwyddo a thyfu i mewn iddo fo?' cynigiodd Alun.

'Iesgob, da iawn!' ebychais. 'Sut oeddach chi'n gwybod hynny?'

'Achos 'mod i wedi dysgu Almaeneg... pan o'n i'n garcharor rhyfel fy hun.'

'Na! Lle oeddech chi?'

'Yng ngwersyll Ebertal.'

'Yr un yn Göttingen?'

'Ia.'

Roeddwn i'n fud wrth i mi brosesu'r wybodaeth annisgwyl. Cymerais lymaid o fy nghwrw du, gan geisio peidio â gwneud ystumiau pan flasais y ddiod ffiaidd o gynnes.

'Das galt als Musterbeispiel eines deutschen Kriegsgefangenenlagers, oder?'

Arswydodd Alun at fy ngeiriau. 'Allwch chi ddim siarad Almaeneg yma!' sisialodd. 'Ydach chi yn eich iawn bwyll?'

'O, mae'n ddrwg gen i... ond dwi ddim yn meddwl bod neb...'

'Na, na finna, diolch byth. Ond ia, dach chi'n iawn... mi ddylsa fo fod y gwersyll delfrydol.'

'Ond doedd o ddim?' holais.

'Go brin! Roedd 'na brinder bwyd trwy'r amser... ymysg petha eraill. Doedd o ddim yn wersyll i swyddogion fel Frongoch neu Ddyffryn Aled, cofiwch. Dim ond gwersyll sylfaenol ar gyfer milwyr cyffredin.'

'O.'

'Ia, rhesi o gytiau barics, a dau gant a hanner o garcharorion ym mhob un. Ond mi oedd o'n addysg, rhaid deud, mewn sawl ffordd. Mi ddes i i nabod Ffrancod, Rwsiaid, Eidalwyr, Belgiaid... Saeson, hyd yn oed!'

Chwarddodd y ddau ohonon ni.

'Ia,' aeth Alun yn ei flaen, 'mi oedd o fel prifysgol i ryw raddau – yr ail brifysgol yn fy achos i, ar ôl caban y chwarel! Wel, yn wahanol i chi, a finna ddim ond yn filwr cyffredin, mi oedd yn rhaid i mi weithio'n galed... gwaith amaethyddol gan fwya, ond mi oedd 'na lyfrgelloedd, cerddorfeydd, theatrau hyd yn oed.'

'Yn ogystal â gwersi Almaeneg?'

'Ia. Mi o'n i'n hynod o lwcus, mewn gwirionedd. Mi oedd athro coleg wedi ymddeol yn arfer dŵad i'r gwersyll bob dydd i roi gwersi Almaeneg i bwy bynnag oedd â diddordeb.'

'Dyna hael.'

'Oedd. Mi ddywedodd ei fod o'n syrffedu ar fod adra yn gwneud dim. Mi oedd o'n angerddol iawn dros ei iaith – ac mae'n iaith hyfryd.'

'Dach chi'n meddwl?' gofynnais efo gwên.

'Ydw. Mi fasa'n braf cael sgwrs yn Almaeneg ryw ddydd... ond dim yn fama. Gyda llaw, oeddach chi'n gwybod bod 'na bartneriaeth fasnachu bwysig wedi bod rhwng Prydain a'r Almaen yn y diwydiant llechi cyn y Rhyfel?'

'Oeddwn.'

'Ia, mi gollon ni un o'n cwsmeriaid mwya o ganlyniad i'r cwffio.'

'Ond mi all y bartneriaeth honno ddŵad yn ôl...' awgrymais.

'Dach chi'n meddwl? Wel, nid dyna'r unig newid yn yr ardal 'ma o bell ffordd, gwaetha'r modd. Fydd petha byth yr un fath yma. Pan ddois i'n ôl i'r dre, doedd dim gwaith i bron neb.'

'Pryd oedd hynny?'

'Fis Rhagfyr 1918. Mae llawer o 'nghyfeillion a 'nghydnabod wedi gadael yr ardal i chwilio am waith yn y glofeydd ym Morgannwg, yn y stordai yn Lerpwl, yn y pyllau clai yn Sir Efrog. Mae cymaint o bobol wedi gadael.'

'Ond mi ddaethoch chi o hyd i waith yn y pen draw?'

'Wel, do, yn y pen draw... am sbel. Mi o'n i wedi bod yn gweithio fel mwynwr yn chwarel Llechwedd ers blynyddoedd cyn y Rhyfel, ers i mi fod yn bedair ar ddeg oed a deud y gwir, ac mi oedd gan y rheolwr ryw deimlad o deyrngarwch tuag ata i, mae'n debyg, ond...'

'Ond be?'

'Ond maen nhw newydd adael i mi fynd.'

'Pryd?'

'Heddiw.'

'A pham hynny?'

'O achos fy anaf.'

'O. A bod yn onest, allwn i ddim peidio â sylwi ar y ffaith eich bod chi'n hercian ychydig wrth i chi gerdded i mewn. Ai dyna'r broblem?'

'Ia.'

'Be ddigwyddodd?'

'Mi ges i fy nhrosglwyddo i gatrawd o'r Peirianwyr Brenhinol yn y lle cynta, ar ôl gadael Fron-goch. Y syniad oedd y byddai oddeutu pum cant o fwynwyr profiadol o'r ardal 'ma'n mynd allan i Ffrainc i dwnelu o dan ffosydd y gelyn... o, ddrwg gen i.'

'Mae'n iawn. Cariwch ymlaen.'

'Ia, wel, yr amcan oedd tanio ffrwydron o dan y *trenches*, y ffosydd, hynny ydy, er mwyn lladd cymaint o filwyr â phosib. Mi oedd gen i gryn dipyn o barch tuag at yr Almaenwyr, rhaid i mi ddeud. Mi oedd eu *dugouts* nhw fel palasau tanddaearol. Peiriannau trydanol oedd ganddyn nhw, wyddoch chi – wel, mae'n siŵr eich *bod* chi'n gwybod – peiriannau i oleuo ac i gynhesu, yn ogystal ag offer coginio ac offerynnau cerdd hyd yn oed. Mi oedd gan rai yn eu plith leisiau canu ardderchog.'

'Oeddach chi'n medru'u clywed nhw, felly?'

'Oeddan. Uwch ein pennau ni.'

'Argol.'

'Ta waeth, un noson, mi ddaeth y gair i lawr y ffosydd: *Advance tomorrow: 7:00 hours*. Dros y *parapet* â ni felly. Mi oedd y ffrwydron i fod i chwythu ar yr un pryd, ond mi aeth rhywbeth o'i le. Targedau hawdd oeddan ni yn y pen draw, ac mi aeth darn o shrapnel yn sownd yn fy nghoes. Mae o ynddi o hyd.'

'Mae'n ddrwg gen i, wir.'

''Sdim ots. Mi allai petha fod wedi bod yn waeth. Mi oedd

hi'n gosb briodol, dwi'n meddwl. Ond dyna ddigon amdana i. Mae gen i ddau gwestiwn i chi, os ga' i.'

'Cewch, wrth gwrs.'

'Sut oeddach chi'n gwybod lle dwi'n byw?'

Gwenais. Mi oeddwn i wedi bod yn disgwyl y cwestiwn hwnnw ers iddo gyrraedd y bar. 'A, diolch i chi am fy atgoffa i.'

Tynnais hen lyfr tolciog o boced allanol fy siwt frethyn a'i roi iddo fo dros y bwrdd. Edrychodd Alun arnaf yn ddryslyd.

'Eich copi o *Enoc Huws*,' eglurais. 'Yr un wnaethoch chi roi ei fenthyg i mi yn Fron-goch. Mae'ch cyfeiriad chi wedi'i ysgrifennu y tu mewn i'r clawr.'

'O, diolch i chi, Friedrich. Mi o'n i wedi anghofio'n llwyr!'

'Ymddiheuriadau am ei gyflwr, gyda llaw. Mae o wedi bod trwy'r felin.'

Chwarddodd Alun unwaith eto. 'Peidiwch â phoeni – a diolch unwaith eto.'

'A beth am eich ail gwestiwn?' gofynnais.

'O, ia... wel, dwi ddim isio swnio'n anghwrtais, ond pam ydach chi yma? A pham oeddach chi isio 'ngweld i?'

'A, mae'r ateb i hynna'n ddigon syml. Mae gen i gynnig busnes i'w wneud i chi.'

Pennod 6

12:38, brynhawn Iau, 25ain Gorffennaf 2019.

Ystafell athrawon, ysgol Moll-Gymnasium, Neckarau, Mannheim, yr Almaen.

'Alla i ddim aros tan chwarter wedi tri fory!' meddai Christoph.

'Beth wyt ti'n bwriadu'i wneud dros yr haf?' gofynnodd Alina.

'Wel, dathlu yn gyntaf!'

'Grindr eto, felly?'

'Dyna ddigywilydd!' atebodd Christoph yn ffug-ddicllon. 'Ond ie, ti'n iawn, siŵr o fod. Be well na chydig o ryw diystyr?'

'Mmm...'

'O, wrth gwrs, ro'n i wedi *anghofio*, ti ddim yn cael rhyw bellach a tithau'n briod, nagwyt?'

'Dim rhyw diystyr beth bynnag.'

'Www, clywch hi!'

'Beth amdanat ti, Katja?' gofynnodd Alina, a oedd yn ôl pob golwg yn awyddus i newid y pwnc. 'Rwyt ti'n mynd ar dy wyliau i Gymru'n fuan, dwyt?'

'Cymru?' meddai Christoph yn syn cyn i mi gael cyfle i ateb. 'Pam fyddai unrhyw un eisiau mynd yno? Mae'n bwrw glaw trwy'r amser ar yr ynys gyntefig 'na. Mae Llundain yn sbort, dwi ddim yn gwadu hynny, ond fel arall... wel, mae'r bobl ychydig ar ei hôl hi, on'd ydyn nhw? Drychwch ar Brexit! Maen nhw'n dilyn yr holl ffasgwyr fel defaid a thwyllo'u hunain y byddan nhw'n rheoli'r byd y diwrnod ar ôl iddyn nhw adael yr Undeb Ewropeaidd. Mae'n wallgof, dwi'n dweud wrthoch chi. Dwi'n edrych ymlaen at weld eu cefnau nhw a dweud y gwir. Dwi wedi hen ddiflasu arnyn nhw'n cwyno trwy'r amser.'

'Ti'n sôn am Loegr, Christoph. Mae Cymru'n hollol wahanol,' meddwn yn swta.

'Mae Cymru'n rhan o Loegr, on'd yw hi?'

'Dim o gwbl! Mae Cymru'n wlad, ac mae Lloegr yn wlad arall!'

'Ro'n i'n meddwl eu bod nhw fel taleithiau'r Almaen – Baden-Württemberg, Bafaria ac ati. Dwi ddim yn deall pam fod ganddyn nhw dîm pêl-droed, er enghraifft...'

'Achos bod Cymru'n wlad ar wahân, twpsyn, fel y dywedais i funud yn ôl!'

'Iesgob, Katja, gan bwyll,' meddai Christoph. 'Pam fod ots gen ti am y peth? Almaenes wyt ti wedi'r cwbl.'

'Ie, ond mae gen i grys pêl-droed Cymru, a dwi'n ymfalchïo yn ei wisgo. Hefyd, mae canu anthem genedlaethol Cymru'n dod â dagrau i fy llygaid i, bob tro.'

Roedd wyneb Christoph yn bictiwr.

'Ti'n ddynes ryfedd iawn, Katja. Oes rhywun wedi dweud hynny wrthat ti erioed?'

'Ha!' ebychodd Alina, 'rwyt ti'n un da'n siarad. Mae Katja wedi dysgu'r iaith hyd yn oed.'

'Pa iaith?'

'Cymraeg,' atebodd Alina ar fy rhan.

'Ie,' ychwanegais, 'dyna'r hyn sydd wedi newid fy hunaniaeth i ryw raddau.'

'Cymraeg?' gofynnodd Christoph yn amheugar. 'Mae'n siŵr bod honna'n debyg iawn i Saesneg beth bynnag. Beth yw'r pwynt?'

'Beth?' bloeddiais yn flin, mor uchel nes i rai o'n cydathrawon droi i edrych arnaf yn feirniadol. 'Nid oes a wnelo'r Gymraeg ddim â Saesneg,' meddwn yn dawelach. 'Mae'r ddwy iaith mor wahanol â dydd a nos!'

'Ta beth,' meddai Alina mewn ymgais i dawelu'r dyfroedd, 'yn ôl at fy nghestiwn i, Katja: beth am dy wyliau di?'

'Dwi ddim yn siŵr ar hyn o bryd.'

'Pam hynny?'

'Achos bod Karsten wedi gorffen gyda fi.'

'Na! Pryd?'

'Bron i wythnos yn ôl.'

'Argol! Ydy e o'i gof? 'Sdim ots, dylet ti fynd beth bynnag!'

'Ar fy mhen fy hun? 'Dwi eisiau, ond...'

'Wrth gwrs ar dy ben dy hun! Pam lai?'

'Dwi'n mynd i Amsterdam ar fy mhen fy hun,' meddai Christoph, yn ymuno yn y sgwrs unwaith eto. 'Dyna'r ffordd orau i deithio, dwi'n addo. Mae pob dydd yn antur.'

Yr eiliad honno, clywais sŵn cyfarwydd neges yn cyrraedd fy ffôn. Syllais ar y sgrin: roedd Seiriol ap Dafydd o Flaenau Ffestiniog wedi ateb fy neges o'r diwedd. Cofiais yn sydyn mai yn y dref honno y gwnes i a Karsten fwcio ystafell ar gyfer ein gwyliau – am gyd-ddigwyddiad! Nid Blaenau Ffestiniog oedd fy newis cyntaf o bell ffordd er mwyn mynychu'r Eisteddfod Genedlaethol, ond roedd Karsten wedi bod mor hir yn trefnu amser i ffwrdd o'r gwaith nes bod pobman yn Llanrwst a Betws-y-coed yn llawn cyn i mi ddechrau chwilio am lety – naill ai Blaenau Ffestiniog neu Gonwy oedd y dewis yn y pen draw. Esgusodais fy hun a gadael yr ystafell athrawon er mwyn cael llonydd i ddarllen neges Seiriol ap Dafydd mewn man tawel i lawr y coridor oedd â golygfa o'r glaswellt a'r coed.

'Mae'n ddrwg gen i am beidio ag ymateb ynghynt i'ch neges, ond dwi wedi bod mor brysur. I ateb eich cwestiwn chi, dwi ddim yn gwybod ble y tynnwyd y llun na gan bwy, ond dwi'n nabod rhywun ynddo – y dyn sy'n sefyll ar ben pella'r rhes ar y chwith. Fy hen, hen daid ydy o. Pwy dach chi'n ei nabod yn y llun? Hwyl, Seiriol.'

Erbyn hyn roedd fy nghalon yn carlamu, a theipiais fy

ymateb yn syth: 'Peidiwch ag ymddiheuro! Dwi mor falch eich bod chi wedi gwneud yr ymdrech i ymateb i fy neges o gwbl. Dyna ryfedd: mae'r dyn rwyf yn ei adnabod yn sefyll wrth ochr eich hen, hen dad-cu chi.'

Gobeithiais am ateb sydyn, a chefais i 'mo fy siomi.

'Na! Go iawn?' daeth ymateb Seiriol ap Dafydd hanner munud yn ddiweddarach. 'Pwy ydy o?'

'Wnewch chi ddim credu hyn, ond fy hen, hen dad-cu i.'

Funud yn ddiweddarach, fe ddaeth neges arall.

'Na, dach chi'n iawn. Dwi ddim yn eich coelio chi. Felly, dywedwch beth sy'n mynd ymlaen yma!'

Doedd yr ateb hwn ddim yn swnio'n gellweirus o gwbl. Beth petawn i'n llwyddo i golli'r unig drywydd oedd gen i? Atebais yn syth: 'Drychwch, dwi'n gwybod bod hyn yn swnio'n annhebygol iawn, ond dwi o ddifri, dwi'n addo. Oes ganddoch chi amser am sgwrs gyflym? Byddai'n llawer haws esbonio dros y ffôn.' Rhoddais rif fy ffôn ar ddiwedd y neges.

A oedd hynny'n ddigon i ennyn ei ddiddordeb? Roedd yn rhaid i mi aros am ddwy funud cyn i'm ffôn ddechrau canu.

'Katja?' gofynnodd llais Cymro Cymraeg ifanc.

'Ie?'

'Seiriol sy 'ma. Dwi'n gwrando.'

Doedd o ddim yn swnio'n gyfeillgar iawn, ond o leiaf roedd gen i gyfle i'w ddarbwyllo bellach. Roedd gan Seiriol acen ogleddol gref – ai hon oedd acen Blaenau Ffestiniog?

'Mae fy hen, hen dad-cu'n dipyn o chwedl yn fy nheulu i a dweud y gwir,' dechreuais. 'Roedd e'n swyddog ym Myddin yr Almaen yn y Rhyfel Mawr, ond treuliodd e'r rhan fwyaf o'r rhyfel yn garcharor mewn gwersylloedd ym Mhrydain. Roedd o leiaf un ohonyn nhw yng Nghymru, a dwi'n gwybod hynny oherwydd iddo ddysgu Cymraeg yno. Dyna pam 'mod i wedi dechrau dysgu'r iaith fy hun yn y lle cyntaf. Ces i fy ysbrydoli ganddo. Friedrich von Hertling oedd ei enw e.'

'Oes gynnoch chi unrhyw dystiolaeth o hyn?'

'Dim ar hyn o bryd, dwi yn y gwaith... ond gallwn yrru rhywbeth i chi heno, heb os.'

'Mmm,' oedd yr ateb petrusgar.

'Pwy oedd eich hen, hen dad-cu chi, Seiriol, a beth oedd ei enw? Byddai hynny'n help, efallai, i ddatrys y pos.'

Tawelwch pur.

'Plis, beth sydd ganddoch chi i'w golli trwy ddweud yr enw wrtha i? Dim ond yr enw. Chi wnaeth bostio'r llun, wedi'r cyfan, a gofyn i bobl eraill am wybodaeth.'

'Iawn. Alun Jones oedd ei enw o.'

Yn syth ar ôl clywed hyn, teimlais wefr o gyffro. Y llythyr.

'Arhoswch eiliad,' meddwn. 'Dwi newydd feddwl am rywbeth. Arhoswch eiliad, i mi gael ei wirio.'

'Iawn.'

Chwiliais am y llun o'r llythyr yn fy ffôn, a chynhyrfu fwyfwy wrth ailddarllen enw a chyfeiriad yr anfonwr:

'Oedd eich hen, hen dad-cu'n arfer byw yn Stryd Maenofferen?' gofynnais.

'Sut ddiawl dach chi'n gwybod hynny?'

'Wel, os felly, mae gen i dystiolaeth wedi'r cyfan. Beth yw'ch cyfeiriad e-bost chi?'

'seiriolapdafydd@gmail.com.'

'Gwych, diolch o galon i chi. Cadwch olwg am neges e-bost gen i yn y munudau nesaf, iawn? Wnewch chi fy ffonio i'n ôl wedyn?'

'Gwnaf.'

Torrwyd y cysylltiad.

Teipiais neges ato ac atodi llun o'r llythyr at fy hen, hen dad-cu oddi wrth Alun Jones o Flaenau Ffestiniog. Gan mai prin oedd yr amser cyn i'r wers nesaf ddechrau, roedd yn rhaid i mi fod yn gryno.

'Annwyl Seiriol, Dyma gopi o lythyr y des i ar ei draws yn

fflat fy mam yn ddiweddar. Ai'r Alun Jones hwn yw'ch hen, hen dad-cu chi?'

Wrth aros am ymateb, ailddarllenais weddill y llythyr er mwyn fy atgoffa fy hun o'i gynnwys:

Rwy'n ysgrifennu y llythyr hwn gyda chalon drom iawn.

Wn i ddim a fyddi di'n gallu maddau imi am fod mor fyrbwyll, ac am fy niffyg hunanddisgyblaeth, sydd wedi peryglu'r hyn yr ydym wedi bod yn gweithio tuag ato am flynyddoedd maith, a'r hyn yr ydym yn credu ynddo. Arnaf i mae'r bai i gyd am bopeth a fydd yn digwydd o hyn allan.

Rwy'n ofni na fydd pethau yr un fath eto. Rwy'n casáu fy hun gymaint, ac yn haeddu cael fy nghosbi. Yn wir, bydd y gosb yn siŵr o ddod cyn hir.

Gyda llaw, rwy'n deall dy benderfyniad yn llwyr bellach ac yn ymddiheuro am wrthod ei dderbyn. Ti ydy'r dyn busnes wedi'r cwbl. Rwyt ti wastad wedi gwybod beth sydd orau.

Bum munud yn ddiweddarach, a minnau wedi dechrau meddwl na fyddwn yn cael neges arall gan Seiriol ap Dafydd, canodd fy ffôn unwaith eto.

'Ocê, Katja,' meddai. 'Fel y gwnaeth fy hen, hen daid yn y llythyr 'na, mae'n rhaid i mi ymddiheuro. Gobeithio y medrwch chi faddau imi am eich amau.'

'Mae'n iawn,' atebais. 'Dŵr dan y bont!'

'Diolch. Mae'n gyd-ddigwyddiad rhyfeddol, a dwi'n methu coelio'r peth. Dach chi'n gweld, mae fy hen, hen daid yn bwnc poenus i mi. Alun oedd dafad ddu'r teulu, ac achos cywilydd ar sawl achlysur dros y blynyddoedd, mae'n debyg, er 'mod i'n rhy ifanc i wybod llawer am y peth – dim ond sibrydion a sïon ymysg aelodau eraill o'r teulu dwi wedi'u clywed. Ond dwi isio darganfod mwy amdano fo a chael y darlun cyflawn... cael ffurfio fy marn fy hun.'

'Wrth gwrs.'

'Dyna pam dwi mor hapus i gael siarad efo chi am hyn.'

'A finnau â chithau,' atebais. 'Ond ydy'r llythyr yn gwneud unrhyw synnwyr i chi? Mae'n ddirgelwch llwyr i mi.'

'Ydy a nac ydy. Ydy, mae'n gyson â'r hyn sydd wedi cael ei ddeud yn y dre amdano fo... a'r hyn a ddigwyddodd iddo fo yn y pen draw. Ond ar y llaw arall, 'dan ni ddim yn gwybod ym mha wlad y cafodd y llun ei dynnu, ac os 'dach chi'n iawn mai gwersyll-garcharor yn ystod y Rhyfel Mawr oedd o, sut a pham wnaeth carcharor sgwennu at un a'i garcharodd, a hynny bron i chwarter canrif yn ddiweddarach, fel tasan nhw'n ffrindia agos?'

Roeddwn ar dân eisiau cael gwybod beth ddigwyddodd i Alun, ond wnes i ddim mentro gofyn.

'Does dim clem 'da fi,' atebais, 'ond dwi'n amau taw fel arall oedd hi – y gwarchodwr yn ysgrifennu at ei gyn-garcharor. Doedd Alun erioed yn yr Almaen, nac oedd?'

Ond cyn i Seiriol ap Dafydd gael y siawns i ateb fy nghwestiwn, canodd y gloch ar gyfer y wers nesaf. Dim cinio i mi, felly – ond da o beth oedd hynny, siŵr o fod, gan fy mod i wedi dechrau bwyta gormod yn ddiweddar.

'Sori, rhaid i fi fynd,' meddwn, 'mae'r gloch newydd ganu. Allen ni barhau â'r sgwrs hon yn nes ymlaen, neu fory?'

'Siŵr iawn. Fory?'

'Iawn, rhowch alwad i fi unrhyw bryd.' Ffarweliais a phwyso'r botwm coch, a diffodd fy ffôn wrth ruthro ar hyd y coridor i ystafell 23 â'm gwynt yn fy nwrn.

Pennod 7

14:33, brynhawn Sadwrn, 27ain Gorffennaf 2019.

Llyn Kutzerweiher, Luisenpark, Mannheim, yr Almaen.

'Dyma'r bywyd!' meddai Silke wrth iddi orweddian yn fy erbyn a gorffwys ei phen ar fy ysgwydd ar fainc flaen ein *gondoletta* a lithrai'n ddistaw dros y dŵr ar lyn Kutzerweiher.

'Ie, dyma'r lle i fod ar ddiwrnod mor drymaidd,' cytunais. 'Dychmyga sut mae hi yng nghanol y ddinas!'

Distewodd ein sgwrs am funud neu ddwy wrth i ni wylio'r byd yn mynd heibio, yn fodlon yng nghwmni ein gilydd. Roedd pedair o *gondoletti* eraill ar y llyn, a chwerthin a miri'r teithwyr yn atseinio dros y tonnau crychlyd. Doedd dim sŵn arall heblaw siffrwd y cychod yn llithro'n araf dros y dŵr, a sisial yr awel ysgafn drwy ddail y coed o gwmpas y glannau.

'Am syniad ardderchog, dwyt ti ddim yn meddwl?' gofynnodd Silke'n freuddwydiol.

'Pa syniad?'

'Y syniad o gael pedwar deg o gychod sy'n symud o gwmpas y llyn ar yr un pryd am dri chwarter awr ar y tro, heb unrhyw ymdrech gan neb, ac heb unrhyw bosibiliad o wrthdrawiad. Byddai'n fendigedig petai bywyd go iawn fel'na, yn byddai?'

'Athronyddol iawn,' meddwn gyda fy nhafod yn fy moch, wrth geisio cadw wyneb syth. Ychydig eiliadau barodd hynny cyn i'r ddwy ohonom ddechrau rhuo chwerthin.

'Ond o ddifri,' meddwn, 'mae hynna wedi gwneud i mi feddwl. Beth os ydyn ni i gyd fel y cychod 'ma? Beth os ydyn ni, heb i ni sylweddoli, yn cael ein llusgo ar hyd llwybr penodol gan ryw rym anweledig, fel y llinynnau anweladwy, tanddwr sy'n tynnu'r *gondoletti* ar hyd y llyn 'ma, ac yn gorffen ein siwrnai yn y byd 'ma mewn lle arbennig, waeth beth ydyn ni'n ceisio'i wneud?'

'A ti'n meddwl mai fi sy'n athronyddol?'

'Pwynt teg... ond dwi ddim yn credu mewn ffawd.'

'Nac wyt, ond ddylet ti.'

'Be ti'n feddwl?'

'Y peth 'na yng Nghymru.'

'Beth amdano?'

'Stori'r llythyr 'na! Ti'n dweud, er gwaetha'n sgwrs ni'r wythnos ddiwethaf, nad wyt ti'n bwriadu mynd ar dy ben dy hun – ac eto dyna'n union beth ti angen ei wneud! Sut alli di wrthsefyll y demtasiwn? Beth yw enw'r dyn eto?'

'Seiriol ap Dafydd.'

'Ie, Seiriol. Mae e'n dod o hyd i lun y mae ei hen, hen dad-cu e a dy hen, hen dad-cu di'n sefyll ochr yn ochr ynddo, dros ganrif yn ôl. Wedyn, ti'n dod o hyd i lythyr mae ei hen, hen dad-cu e wedi'i sgwennu at dy hen, hen dad-cu di bron i wyth deg mlynedd yn ôl. A phetai hynny ddim yn ddigon, dyna chi'n dod o hyd i'ch gilydd ar hap a damwain ar Facebook. Tynged, dwi'n dweud wrthat ti! Mae rhywun i fyny fanna'n awyddus i ti fynd i ddatrys y dirgelwch 'na.'

'Ti'n meddwl?'

'Yn bendant!'

'A ti'n meddwl y galla i wneud hynny ar fy mhen fy hun?'

'Wrth gwrs y galli di! Yffach, Katja, mae Karsten wedi gwneud llanast o dy ben di. Ti'n wych, ti'n glyfar, ti'n gryf. Ti'n gallu gwneud hyn – ac mae'n rhaid i ti. Bydd e'n gwneud lot o les i ti, dwi'n addo!'

Yr eiliad honno, dechreuodd fy ffôn ddirgrynu'n ffyrnig yn fy mag llaw.

'Pwy sy 'na?' gofynnodd Silke.

Tynnais y ffôn allan o fy mag ac edrych ar y sgrin.

'Sôn am y Diafol... Seiriol ap Dafydd.'

Gwenodd Silke. 'Cer, ateb yr alwad! Mi wna i syllu dros y llyn a gwrando arnat ti'n siarad yr iaith ryfeddol 'na. Paid â bod yn swil – wna i ddim deall gair ti'n ddweud, cofia!'

Pwysais y botwm gwyrdd.

'Fischer,' meddwn yn ffurfiol yn ôl fy arfer.

'Katja?' gofynnodd Seiriol. 'Sori am fethu ffonio ddoe.'

'Dim problem,' atebais.

'Ydy rŵan yn amser cyfleus i gael sgwrs?'

'Ydy.'

'Ardderchog. Gyda llaw, rhaid i mi ddweud bod eich Cymraeg chi'n wych. Dach chi erioed wedi byw yng Nghymru?'

'Naddo, a diolch yn fawr!'

Bu ychydig eiliadau o dawelwch.

'Beth bynnag,' aeth Seiriol yn ei flaen, 'mae 'na ddatblygiad wedi bod ynglŷn â'r llun.'

'O?'

'Dwi wedi darganfod lle a phryd y cafodd o'i dynnu, ac mi oeddach chi'n iawn – gwersyll-garchar yng Nghymru yn ystod y Rhyfel Mawr ydy o. Ond mi fedra i fod yn llawer mwy manwl na hynny, hefyd. Mi wnaeth hanesydd lleol wnes i sgwrsio efo fo nabod y tyrau yn y llun. Wn i ddim pam nad o'n i wedi gofyn iddo fo o'r blaen, a deud y gwir – mi ddeudodd o bob dim wrtha i.'

'Ble mae'r tyrau felly?'

'Tydyn nhw ddim yn bodoli bellach – cafodd popeth ei ddymchwel flynyddoedd yn ôl ac mae 'na ysgol ar y safle rŵan. Roedd y tyrau'n rhan o hen waith wisgi yn Fron-goch.'

'Ble mae Fron-goch?'

'Wrth y Bala, ar y ffordd i'r Blaenau, yn agos at Gapel Celyn.'

'Capel Celyn? Y pentref gafodd ei foddi er mwyn creu cronfa ddŵr ar gyfer Lerpwl a Phenbedw?'

'Yn union. Beth bynnag, ar ddechrau'r Rhyfel Mawr, mi gafodd yr adeiladau eu haddasu'n wersyll ar gyfer carcharorion rhyfel Almaenig. Mi gafodd y rhai cyntaf eu symud yno fis Ebrill 1915 – roedd lle i fil o garcharorion, efo tua chant o filwyr Prydeinig yn eu gwarchod nhw. 'Dan ni'n gwybod bellach mai rywbryd rhwng Ebrill 1915 a Mehefin 1916 y tynnwyd y llun, achos cafodd yr holl garcharorion Almaenig eu symud i wersylloedd eraill wedyn, i wneud lle i lwyth o Wyddelod a gafodd eu cadw yno ar ôl Gwrthryfel y Pasg.'

'Anhygoel! Roedd Friedrich yn garcharor felly, ac Alun yn warchodwr?'

'Oeddan, mae'n debyg. Ro'n i wedi meddwl mai fel arall oedd hi, gan fod Alun wedi treulio amser fel carcharor mewn gwersyll yn yr Almaen yn ddiweddarach yn y rhyfel.'

'Na!'

'Do, a dysgu Almaeneg yno hefyd.'

'Jiw! Mae hyn yn anghredadwy!'

'Heb os, ond 'dan ni yn y tywyllwch o hyd o ran be ddigwyddodd wedyn. Mae'n rhaid bod y ddau wedi cadw mewn cysylltiad ar ôl y rhyfel.'

'Dwi'n cytuno... ond fyddai ddim modd iddyn nhw gadw mewn cysylltiad, dwi ddim yn credu. Dyw gwarchodwyr a charcharorion ddim yn cyfnewid cyfeiriadau fel arfer!'

'Na, digon gwir.'

'O,' meddwn yn sydyn wrth i rywbeth groesi fy meddwl, 'ro'n i eisiau gofyn i chi: be ddigwyddodd i Alun yn y pen draw... a pham ei fod e'n ddafad ddu?'

Tawelwch.

'Seiriol? Chi'n dal yna?'

Tawelwch pellach.

'Yndw,' meddai o'r diwedd. 'Y peth ydy... mae hyn yn beth anodd i'w ddweud, yn enwedig wrth Almaenes, ond mi oedd o'n llofrudd, ac yn cydweithio efo'r gelyn.'

'Beth? Wyddoch chi hynny i sicrwydd?'

'Gwn – cafodd ei ddienyddio'n gynnar yn yr Ail Ryfel Byd o ganlyniad i hynny.'

Allwn i ddim siarad am rai eiliadau.

'Sai'n gwybod beth i'w ddweud,' meddwn toc.

'Ond mae gen i f'amheuon,' ychwanegodd Seiriol. 'Wn i ddim pam, ond dyna fo.'

'Dwi'n deall pam rydych chi'n amau. Tydi cyfiawnder ddim bob amser yn hawdd i'w gael ar adeg rhyfel.'

'Am wn i,' atebodd Seiriol yn eithaf petrus, 'ond dydy'r hyn 'dan ni newydd ei ddarganfod ddim yn gwneud y peth yn llai tebygol.'

'Beth y'ch chi'n feddwl? Taw Friedrich oedd y *gelyn* roedd Alun yn cydweithredu ag ef?'

'Wn i ddim be i'w feddwl.'

Yn ddisymwth, fe wnes i benderfyniad: roedd Silke'n iawn, fel arfer.

'Beth am i ni weithio gyda'n gilydd er mwyn mynd i wraidd y peth?'

'Ym mha ffordd?'

'Wel, bydd hyn yn swnio'n rhyfedd i chi, siŵr o fod, ond dwi wedi gwneud trefniadau i dreulio ychydig ddyddiau yn eich ardal chi.'

'Wir? Pryd?'

'Dwi'n hedfan i Fanceinion ddydd Gwener nesaf.'

'Ar gyfer y Steddfod?'

'Ie, ond gallen ni gwrdd, a gwneud chydig o ymchwilio.'

'Iawn, ond dwi'n gwirfoddoli dipyn go lew ar y Maes trwy gydol yr wythnos, felly mi fasa'n rhaid i chi wneud y rhan fwyaf o'r gwaith eich hun... ond dwi'n siŵr y medrwn i ffeindio chydig o amser i'ch helpu chi, rhwng popeth.'

'Dyna ni, felly. Mae'ch rhif ffôn chi gen i bellach, felly, fe ro' i alwad i chi ar ôl i mi gyrraedd.'

'Gwych. Lle dach chi'n aros?'

'Yng Ngwesty Tŷ Gorsaf.'

'Y Queen's? Yn Blaena?'

'Ie. Dwi'n deall ei fod e wedi newid ei enw'n ddiweddar?'

'Do. Wel... mae'n gyfleus, beth bynnag. Mae'n ddigon hawdd cyrraedd Maes y Steddfod o fanno.'

'Ro'n i'n gobeithio hynny.'

'Wel, dyna ni, 'ta,' meddai Seiriol ar ôl saib lletchwith.

'Ie, wela i chi ymhen yr wythnos.'

Ffarweliais a phwyso'r botwm coch i derfynu'r alwad.

'Argol, Katja, roedd hynna'n swnio'n ddifyr – beth ddigwyddodd?'

'Dwi'n mynd i'r Eisteddfod wedi'r cwbl.'

'Iei!' ebychodd Silke wrth iddi ddyrnu'r awyr yn fuddugoliaethus.

Pennod 8

16:55, brynhawn Gwener, 2il Awst 2019.

Maes Parcio Diffwys, Dolgarregddu, Blaenau Ffestiniog.

Ar ôl parcio yn y maes parcio y tu ôl i archfarchnad y Co-op a thalu yn y peiriant, glynais fy nhocyn y tu mewn i ffenest fy nghar llog. Doeddwn i erioed wedi gyrru Volkswagen Passat o'r blaen ac roedd yn llawer rhy fawr i mi mewn gwirionedd, o ystyried fy nghoesau byrion, ond dyna'r unig gar oedd ar gael gan gwmni Sixt ym maes awyr Manceinion. Teimlwn dyndra drwy fy nghorff ar ôl gyrru am ddwy awr, nid yn unig mewn car nad oeddwn yn gyfarwydd ag ef, ond hefyd ar ochr arall y ffordd. Diolchais sawl tro fy mod wedi cofio sticio taflen dryloyw y tu mewn i'r sgrin wynt er mwyn fy atgoffa fy hun sut i droi i'r dde a gyrru ar gylchfannau. Diolchais sawl gwaith ar hyd y daith i bwy bynnag ddyfeisiodd y llyw lloeren!

Er gwaethaf holl straen y daith o faes awyr Manceinion, cefais wefr o'r profiad o fod yng Nghymru unwaith eto, o weld yr arwyddion ffyrdd dwyieithog yn gyntaf, wedyn y baneri llachar yn fy nghroesawu i'r Eisteddfod y munud i mi gyrraedd Sir Conwy. Roedd gyrru heibio i faes yr Eisteddfod wedi bod yn deimlad anhygoel, ond doedd dim byd wedi fy mharatoi ar gyfer Blaenau Ffestiniog ei hun. Codai'r mynyddoedd a'r holl domenni llechi uwchben y dref yn fygythiol er ei bod yn ddiwrnod braf, heulog, a chofiais i mi ddarllen yn rhywle fod tri deg tunnell o sbwriel yn cael ei gynhyrchu wrth gloddio am bob tunnell o lechi. O ystyried faint o lechi oedd wedi'u tynnu allan o chwareli Blaenau Ffestiniog dros y canrifoedd, doedd maint y tomenni na'u nifer ddim yn syndod. Roedd y dref yn edrych fel petai cawr wedi ei chodi o rywle arall a'i hailosod ymhlith y gadwyn o fynyddoedd, ynghanol nunlle.

Dechreuais feddwl am Friedrich yn cael ei warchod gan Alun yng ngwersyll Fron-goch, dim ond lawr y lôn o'r dref hon. Tybed oedd y mynyddoedd a'u hadleisiau wedi ysgogi teimlad o fygythiad ynddo? Neu a gawsai gysur o fod yn eu coflaid? Pwy a ŵyr?

Wrth i mi droi i gyfeiriad fy ngwesty, sylwais ar lechen ar wal y toiledau cyhoeddus yn y maes parcio, a'r geiriau 'Ariannwyd y Cynllun hwn gan y Gronfa Ddatblygu Ewropeaidd' arni, a deuddeg seren mewn cylch. Roedd rhywun wedi glynu sticer 'Cancel Brexit' yng nghanol y sêr, a thynnais lun o'r llechen a'i drydar gyda dim ond un gair: 'Cytuno.'

Ar ôl i mi groesi priffordd yr A470 a throi i'r dde, agorais ddrws ffrynt Gwesty Tŷ Gorsaf a mynd i mewn i'r cyntedd. Roedd hi'n braf gweld bod rhai busnesau'n gwthio yn erbyn y chwiw o newid enwau Cymraeg i rai Saesneg, o ystyried mai The Queen's Hotel oedd enw'r gwesty tan yn ddiweddar. Cawn ddigon o gyfle i ymarfer fy Nghymraeg yma felly!

'Prynhawn da,' meddwn wrth y ddynes a safai y tu ôl i'r dderbynfa.

'Sorry, luv?'

Teimlais frath o siom. 'Katja Fischer is my name,' meddwn. 'I've booked a room for five nights.'

'Checking out Wednesday morning?' gwiriodd y ddynes. Roeddwn bron yn siŵr mai acen canolbarth Lloegr oedd ganddi.

'That's right.'

'That's fifty pounds a night, and you've already paid a deposit of fifty pounds, so that's two hundred pounds altogether, please.'

'Do you want me to pay now?' gofynnais mewn anghrediniaeth.

'If you don't mind. By the way, there's no breakfast. The kitchen's out of action at the moment, but there's The Bridge Café across the road.'

Ar ôl i mi dalu gyda fy ngherdyn credyd, dyma hi'n dweud, wrth roi allwedd i mi a'r rhif 10 arni, 'It's just through that door, up the stairs and on the right. You can't miss it.'

Stafell eithaf sylfaenol oedd hi, gyda charped brown tywyll a waliau gwynion, a golygfa o'r stryd fawr, ond roedd y gwely'n edrych yn gyfforddus, o leiaf. Sylwais yn syth nad oedd drws yr ystafell ymolchi yn cau'n iawn – roeddwn eisiau mynd i'r tŷ bach ar ôl taith mor hir, ond rhegais o dan fy ngwynt wrth i mi sylweddoli nad oedd yna bapur toiled, dim ond rholyn gwag.

Brasgamais i lawr y grisiau, a gan fod y dderbynfa'n wag hefyd bellach, es i mewn i'r bar.

'Excuse me,' gofynnais i ddyn moel, canol oed a oedd yn tincera â phwmp cwrw y tu ôl i'r bar, 'I'm sorry, but there's no toilet paper in my room.'

'Which room are you in, luv?' gofynnodd gydag acen oedd hyd yn oed yn gryfach nag un ei gydweithwraig... acen swydd Efrog, ro'n i'n sicr o hynny. Mae astudio acenion gwahanol wastad wedi bod yn ddifyrrwch i mi.

'Room 10,' atebais, gan deimlo fy ngwrychyn yn dechrau codi. Oedd e'n ormod i ofyn i berchennog busnes ddysgu chydig eiriau o iaith ei ardal fabwysiedig?

'Oh no! Don't tell me Dougie's gone and done it again! The plonker, 'e's always doin' that! 'Ang on a sec.'

Gadewodd y bar a dychwelyd ymhen llai na munud gyda rholyn papur anferth, fel y rhai mewn toiledau cyhoeddus.

'It's a bit on the large side, sorry, but it'll do the job, won't it, luv?'

'I'm sure it will, thank you.'

Roeddwn ar y ffordd yn ôl i fyny'r grisiau pan ganodd fy ffôn: Seiriol ap Dafydd.

'Prynhawn da, Seiriol.'

'Pnawn da, Katja. Dach chi wedi cyrraedd yn saff?'

'Do, newydd wneud.'

'Gwych. Gwrandwch, mae gen i noson rydd heno, felly, beth am i ni gyfarfod? Cael tamaid i'w fwyta? Mi fasa'n gyfle da am sgwrs go iawn. Mae gen i fwy o wybodaeth i chi hefyd... ond ella'ch bod chi'n brysur?'

Nac oeddwn, a dweud y gwir. Roeddwn wedi bwriadu mynd i weld sioe agoriadol yr Eisteddfod, Y *Tylwyth*, y noson honno, ond roedd pob tocyn wedi mynd erbyn i mi ffonio'r swyddfa docynnau, diolch i ddiffyg trefn Karsten.

'Syniad bendigedig,' atebais.

'Ardderchog. Be am gyfarfod yn y Chwarelwr? Mae'n fwyty Cymreig da efo awyrgylch gwych.'

'Swnio'n ddelfrydol. Ble mae e?'

'Ar y Stryd Fawr, dafliad carreg o Dŷ Gorsaf. Trowch i'r chwith, pasio'r orsaf drenau, ac mi fyddwch chi yno mewn dim o dro.'

Pennod 9

16:36, brynhawn Gwener, 27ain Tachwedd 1925.

Swyddfa'r Rheolwr Cyffredinol, Chwarel y Parc, Croesor.

'Caewch y drws y tu ôl i chi, os gwelwch yn dda,' meddai Alun Jones, Rheolwr Cyffredinol Chwarel y Parc, yn gwrtais ond yn bendant ar ôl iddo eistedd y tu ôl i'w ddesg bren. Roedd ei lyfr archebion mawr, yn ogystal â sawl llyfr cyfrifon llai, yn agored o'i flaen. 'A steddwch.'

'Na, 'wy ddim yn meddwl y gwna i,' atebodd Morgan Davies, ei Asiant Gwerthu, yn herfeiddiol. 'Mae'n well 'da fi sefyll... ie, a 'wy'n ddigon hapus i bawb dy glywed di'n ceisio rhoi pryd o dafod i fi 'fyd.'

'Caewch y drws!' gwaeddodd Alun arno.

'Neu beth?'

Tawelwch.

'Iawn.' Caeodd Morgan ddrws swyddfa dywyll ei bennaeth gyda chymaint o rym nes i lwch plastr ddisgyn i lawr o'r nenfwd. 'Does neb o gwmpas beth bynnag, gw'boi. Mae pawb wedi mynd. Ond 'smo ni moyn i awel groes daro dy goes simsan di, nagyn ni?'

Penderfynodd Alun, nid am y tro cyntaf, mai anwybyddu pryfocio'r un oedd yn gweithio oddi tano oedd y peth gorau.

'Dwi am i chi roi'r gorau i siarad am Mr von Hertling efo'r gweithwyr mewn ffordd mor amharchus.'

'Dwi am i chi roi'r gorau i siarad am Mr von Hertling efo'r

gweithwyr mewn ffordd mor amharchus,' ailadroddodd Morgan eiriau ei bennaeth yn wawdlyd. 'Gwranda arnat ti dy hunan, Alun! 'Smo ti hyd yn o'd yn swno fel chwarelwr rhagor. Fawr o syndod wedi'r cwbl, achos 'smo ti *yn* un... ddim ers blynyddo'dd maith. A Mr von Hertling – 'yt ti'n siŵr nagyt ti'n golygu *Herr* von Hertling?' Chwarddodd ar ei jôc ei hun. 'Herr-man the Jyrman?'

'Heb *Herr-man the Jyrman*, fel dach chi'n ei alw fo, mi fasa'r chwarel 'ma wedi cau bum mlynedd yn ôl. Heb ei fuddsoddiad o, fasa dim chwarel o gwbl rŵan, yr adyn i chi. Heb yr holl archebion o'r Almaen a'r cyfandir y mae o'n eu hennill bob mis, fasa dim galw am ein llechi ni. Iesu gwyn, fasa gynnoch chi ddim swydd chwaith!'

'Wrth gwrs bydde swydd 'da fi. Hebddo i, byddet ti a dy hen gyfaill Almaenig wedi mynd yn fethdalwyr fisoedd yn ôl, cofia. *Fi* sy wedi achub y chwarel 'ma!'

'Roedd Mr von Hertling wedi achub y chwarel cyn i chi symud yma o Ferthyr, hyd yn oed; cyn i chi ddysgu'r peth cynta am lechi – diolch iddo fo mae hynny hefyd!'

'Falle, ond pwy sy wedi gwneud i'r elw saethu lan? Dim ond colledion oedd 'ma cyn i fi gael fy nyrchafu a sorto popeth mas!'

'A phwy wnaeth eich dyrchafu chi?'

'Wel... Herr-man the Jyrman,' atebodd Morgan yn anfoddog wrth osgoi edrych ar Alun am eiliad, a syllu ar y cwpwrdd ffeilio pren y tu ôl iddo, 'ond dim ond gan nad oedd dewis arall 'da fe! Ro'dd e'n gwybod yn iawn taw ailgyflwyno'r system fargeinio – fy syniad i, gyda llaw – o'dd yr unig ffordd ymla'n... a taw fi o'dd yr unig un allai wneud iddi weitho! Rhaid i Asiant Gwerthu fod yn drafodwr da, Alun, a 'smo ti yn. Rhaid bod hyder 'da fe 'fyd. Rhaid iddo fe fod yn ddyn go iawn!'

'Dwi wedi anghofio mwy am y graig nag y gwnewch chi byth ei ddysgu amdani,' meddai Alun yn dawel wrth geisio rheoli'i dymer.

'Ie, ond anghofio... dyna'r broblem, ondife? Hynny a'r ffaith dy fod ti'n swno'n fwy fel bardd na chwarelwr. Dyw'r chwarelwyr ddim yn dy gymryd di o ddifri. 'Smo dy englynion di'n mynd i chwythu'r graig mas, nagyn nhw?'

'Yn bersonol, faswn i byth wedi'ch dyrchafu chi. Dach chi ddim yn dallt y graig. Dim ond uffernol o lwcus fuoch chi hyd yma!'

'O ie, gw'boi, dim ond lwc yw e. Dyna pam mae pob pris y dunnell 'wy wedi'i gytuno ar ran dy Jyrman di wedi bod mor ffafriol iddo fe. Dyna pam mae'r chwarelwyr i gyd yn fy mharchu i gymaint er gwaetha'r ffaith 'mod i'n towlu llwch i'w llygaid nhw bob mis... neu falle oherwydd hynny! Achos 'mod i'n deall dim am y graig... achos mod i'n dyfalu bob tro!'

'Ond pam ydach chi'n lladd cymaint ar ddyn sydd wedi bod mor gefnogol, mor hael efo chi – dyn sydd wedi dŵad ag ŷd i'r felin 'ma? Pam ailadrodd dro ar ôl tro ar ôl tro, "*Once a German, always a German*"? Dach chi'n meddwl na fydda i'n rhoi gwybod iddo fo? Wna i ddim diodda mwy o hyn!'

'O, gwnei, cred ti fi, gw'boi, fel 'yt ti wedi bod yn 'i neud ers blwyddyn. A sdim ots 'da fi os 'yt ti'n rhoi adroddiad iddo fe chwaith! Dyna fydden i'n ddisgwyl gan gachgi fel ti! Sdim ots, wir! Wnaiff dy Jyrman di byth adael i fi fynd nes bydd yr arian yn stopo lifo i mewn... a fydd e ddim – ddim 'da fi wrth y llyw!'

'Dach chi ddim wrth y llyw, Morgan, gadewch i mi'ch atgoffa chi o hynny!'

'O, odw. Dim ond dyn gwellt wyt ti... y pyped ag 'yt ti!'

'Un diwrnod,' meddai Alun drwy ei ddannedd, 'mi wnei di ddifaru deud petha fel'na.'

'Www, 'yt ti'n fy mygwth i, Alun?' gofynnodd Morgan gan gilwenu. Ymestynnodd ei fraich dde o'i flaen fel bod ei fysedd llonydd o flaen trwyn Alun. 'Fel gweli di, 'wy'n crynu fel deilen ac yn ofni am fy mywyd.'

'Peidiwch â bod mor blentynnaidd. Eglurwch un peth i mi:

be sy gynnoch chi yn erbyn Mr von Hertling? Yn enwedig o ystyried iddo fo roi cyfle i chi pan nad oedd neb arall yn fodlon gwneud?'

'Achos taw Jyrman yw e. Ond fyddet ti byth yn deall hynny – ti sy eisoes wedi anghofio am y rhyfel. O ie, wrth gwrs, ti'n hanner Jyrman dy hun, on'd 'yt ti, ar ôl i ti dreulio'r rhyfel i gyd yn Jyrmani, yn dysgu sut i fod yn Jyrman da!'

'Dydi'r Almaenwyr ddim yn elynion i ni bellach. Dach chi erioed wedi clywed am droi'r foch arall? Ta waeth, ddylsach chi ddim cyffredinoli.'

'Wna i beth bynnag 'wy moyn.'

'Fasa'n well gynnoch chi gael eich cyflogi gan Sais, 'ta? Y Saeson sy wedi heidio i'n gwlad ni, ddim yr Almaenwyr. Nhw sy wedi ysbeilio'n llechi ni. Nhw sy wedi ceisio dileu'n hiaith ni. Nhw sy'n ein trin ni fel gweision bach, nid yr Almaenwyr! Mae Herr... mae Mr von Hertling yn parchu'n diwylliant ni, a'i hybu o hefyd. Dydy o ddim yn ein hecsbloetio ni fel y Saeson!'

'Tithe a dy lol genedlatholgar! Prydeinwyr ydyn ni, boi – gelynion y *mad-brute*-Jyrmans! Ac 'yt ti wir yn awgrymu bod dy Hỳn, von Hertling, di ddim wedi bod yn elwa ar hyn i gyd? Ti'n dod yn dy flaen yn ddigon taclus 'fyd, on'd 'yt ti, trwy wneud dim ond eistedd yn dy swyddfa ar dy din tew? Ie, mae 'da ti hen ddigon o amser bellach i gasglu syniadau gwirion yn dy ben... fel chwarae *golff*,' meddai Morgan yn ddirmygus wrth bwyntio at y set o glybiau golff oedd yn pwyso'n erbyn y wal y tu ôl i ddesg Alun. 'Pwy siort o chwarelwr sy'n whare golff?'

'Weithia, dach chi wir yn ddigon i godi cyfog arna i, Morgan, chi a'ch rhagrith. Ceisiwch beidio ag achosi i ragor o ferched ifainc feichiogi y penwythnos 'ma, wnewch chi?'

'O leia 'wy'n gallu... yn wahanol i ti ar ôl dy ddamwain fach anffodus!'

'Ewch i grafu!'

'Â phleser!'

Pennod 10

19:34, nos Wener, 2il Awst 2019.

Bwyty Y Chwarelwr, Stryd Fawr, Blaenau Ffestiniog.

Doeddwn i ddim yn siŵr sut y llwyddais i gyrraedd y bwyty'n hwyr o ystyried mai dim ond munud i ffwrdd o'r gwesty oedd e, yn union fel ddywedodd Seiriol. Dyw prydlondeb ddim yn un o'm cryfderau... y tu allan i'r gwaith, hynny yw. Gan nad oeddwn yn gwybod a fyddwn i'n cael cyfle arall i'w gwisgo, penderfynais roi fy nillad gorau amdanaf: siwt drowsus ddu, smart (nad oedd angen ei smwddio, diolch byth), blows ddu (oedd wedi crychu'n ddrwg yn y ces, gwaetha'r modd) a sodlau uchel du i'w matsio. Nid y dewis callaf ar gyfer yr Eisteddfod, efallai, ond roeddwn i wedi bod yn benderfynol o bacio o leiaf un wisg neis.

Cyn gynted ag yr es i i mewn trwy ddrws ffrynt y bwyty, clywais lais yn galw fy enw.

'Katja!' Dyn ifanc, tal, pryd tywyll oedd perchennog y llais, a phan godod oddi wrth y bwrdd ar ochr arall y bwyty i'm cyfarch, sylwais ar ei ganol main a'i ysgwyddau llydan. Fel fi, roedd e wedi'i wisgo o'i ben i'w sawdl mewn du. Ceisiais ddyfalu sut y gwnaeth e f'adnabod mor hawdd.

'Wel wir!' meddwn wrth edrych ar ei grys a'i drowsus du a fy siwt fy hun bob yn ail. Estynnais fy mraich i ysgwyd ei law.

'Ia, da rŵan!' atebodd Seiriol gyda gwên. 'Sut oedd eich siwrna chi?' gofynnodd ar ôl i ni eistedd gyferbyn â'n gilydd wrth y bwrdd.

'Da iawn, diolch. 'Dwi wastad yn eistedd yn rhes flaen yr awyren. Mae'n llawer mwy cyfforddus, er nad oes coesau hir 'da fi!'

'Dim oedi?'

'Na – roedd yr awyren yn brydlon, a dwi byth yn rhoi bagiau yn yr howld, sy'n gwneud pethau gymaint yn haws.'

'A phryd dach chi'n hedfan yn ôl?' holodd.

'Ben bore Mercher nesaf,' atebais.

'O! Mae ganddoch chi ddigon o amser i wneud chydig o waith ymchwil i hanes Alun a Friedrich, a mynd i fwynhau'r Steddfod.'

'Gobeithio wir.'

Edrychodd y ddau ohonom ar y fwydlen yn gyflym, ac archebu byrgyr bob un pan ddaeth y weinyddes draw atom – un llysieuol i mi a chig eidion i Seiriol.

'Beth am ddiod?' holodd y weinyddes, wrth droi ata i.

'Yr un peth ag ef, dwi'n meddwl,' atebais, gan amneidio at gwrw Seiriol: Ochr Dywyll y Mŵs, yn ôl y label ar y botel.

'Grêt, diolch yn fawr. Fydd eich bwyd chi ddim yn hir.'

'Dach chi'n hoffi cwrw tywyll?' holodd Seiriol ar ôl i'r ferch ifanc ein gadael.

'Dwi'n hoffi popeth tywyll a dweud y gwir: cwrw, siocled... blasau chwerw'n gyffredinol.'

'A finna!'

Er ein bod ni'n dau'n gwisgo dillad tebyg, sylwais nad oedd dim yn debyg yn ein pryd a'n gwedd. Yn gyferbyniad i'm gwallt golau hir a fy llygaid glas, roedd popeth am Seiriol yn dywyll: ei wallt trwchus, byr, ei lygaid pefriog, ei farf daclus a'i groen, oedd yn gwneud iddo edrych yn debyg i rywun a fagwyd yn un o wledydd Môr y Canoldir. Ochneidiais yn dawel wrth i mi sylweddoli goblygiadau fy sylw am hoffi popeth tywyll.

'Dwi'n dal i fethu credu hyn,' meddwn ar ôl ychydig.

'Beth?'

'Hyn i gyd... y cyd-ddigwyddiad enfawr a'n cysylltodd ni.'

'Ia, ro'n i'n teimlo fel'na pan ges i'ch neges chi yn y lle cynta, rhaid cyfadda,' cytunodd Seiriol, 'yn enwedig gan mai'r llun rois i ar y wefan ydi un o'r unig luniau sydd gen i o Alun.'

'O,' ebychais, 'rhag ofn i mi anghofio, mae gen i rywbeth bach i chi.' Agorais fy mag llaw a thynnu darn o bapur allan ohono. 'Dyma gopi o ddogfen arall y des i ar ei thraws ddoe yn fflat Mam.' Rhoddais ef o flaen Seiriol. 'Fel y gwelwch chi, mae'n gopi o dystysgrif yn enw Friedrich ynglŷn ag un cyfranddaliad mewn cwmni wedi'i ymgorffori yng Nghymru a Lloegr.'

'Argol!' ebychodd Seiriol ar ôl iddo ddarllen y copi o'r dystysgrif. 'Mae dyddiad 1920 arni... ac mae enw'r cymni'n un Cymraeg hefyd: Gwledd y Mynydd Limited. Dwi'n siŵr bod hynny'n beth anghyffredin ar y pryd, ac am enw rhyfedd!'

'Ro'n i wedi ystyried hynny fy hun, a dweud y gwir, ond dwi'n ei chael yn anodd weithiau i benderfynu a yw rhywbeth yn swnio'n rhyfedd ai peidio yn y Gymraeg.'

'Wel, mae o, yn sicr.'

'Dyw'r enw ddim yn canu cloch i chi felly?'

'Nac'dy, ond mae modd darganfod mwy am y cwmni trwy chwilio gwefan Tŷ'r Cwmnïau. Gŵglwch y geiriau *Beta Companies House*.'

'Ardderchog! Diolch yn fawr iawn i chi. Wna' i ymchwilio i hynny.'

'Erbyn meddwl,' meddai Seiriol wrth iddo estyn i boced ôl ei jîns, 'mae gen i rwbath i chi hefyd.'

Rhoddodd lun du a gwyn ar y bwrdd o fy mlaen i. Ynddo, safai chwech o bobl ar lan cei o flaen hen gar clasurol to meddal a edrychai fel Mercedes 540K coupé, heblaw nad oedd y car yn y llun yn hen. Yn wir, ymddangosai'n newydd sbon. A gafodd y llun ei dynnu rywbryd yn ystod tridegau'r ganrif ddiwethaf? Yn nŵr yr harbwr o flaen y dynion roedd cwch hwylio smart, ei gorff yn wyn a phanelau mahogani drosto. Gwisgai'r ddau ddyn yn y canol siwtiau anffurfiol, ac roedd un ohonyn nhw – un y gwnes i ei adnabod yn syth – yn ystumio'n falch ar y cwch, tra oedd dwy ferch mewn gwisgoedd nofio'n hongian dros eu hysgwyddau. Yn ôl safonau'r adeg honno, byddai'r merched wedi cael eu hystyried yn hanner noeth, mae'n siŵr, er bod eu gwisgoedd yn edrych yn eitha ceidwadol i mi. Wrth ochr y pedwarawd hwnnw, safai dau ddyn arall... a rhedodd ias drwydda i wrth i mi sylweddoli pwy oedden nhw, neu yn hytrach, *beth* oedden nhw. Gwisgent gapiau militaraidd gyda bathodynnau arnynt nad oeddwn yn gallu'u hadnabod a theis duon, ond roedd eu siacedi yn wahanol. Tra gwisgai'r dyn ar y chwith siaced ledr ddu, roedd yr un ar y dde'n gwisgo siaced caci gyda rhwymyn am un fraich â symbol dychrynllyd arno.

Swastica.

Mae rhaglen addysgol yn ysgolion yr Almaen sy'n rhan o broses seicolegol ac sydd wedi sicrhau fod pob disgybl yn cael ei frawychu gan y symbol hwnnw, sef *Vergangenheitsbewältigung* – hynny yw, dod i delerau â'r gorffennol. Wna i byth anghofio'r teithiau ysgol blynyddol i wersyll crynhoi Echterdingen-Bernhausen lle gorfodwyd ni i edrych ar dystiolaeth o'r troseddau erchyll yn erbyn dynoliaeth a gyflawnwyd gan ein hynafiaid, ond doedd y ffaith y gallai un o'm perthnasau fod yn gysylltiedig â'r Natsïaid erioed wedi croesi fy meddwl.

Torrwyd ar draws fy synfyfyrio gan lais Seiriol.

'Katja?' gofynnodd. 'Ydy bob dim yn iawn?'

'Ydy, ond chi'n gweld y gair ar yr arwydd yn y llun?'

'Waren?' gofynnodd Seiriol.

'Ie,' meddwn, gan gywiro'i ynganiad. 'Mae "w" yn Almaeneg yn swnio fel "f" yn y Gymraeg. Mae hyn yn od – ar un llaw, mae'n ymddangos fel harbwr tra moethus, ond ar y llaw arall, mae'r arwydd ar wal yr adeilad yn y cefndir yn awgrymu mai warws nwyddau oedd e.'

'Pam hynny?'

'Achos bod *Waren* yn golygu "nwyddau" yn Almaeneg.'

'O... ond dach chi'n nabod y dynion yn y canol?'

'Wrth gwrs: Alun a Friedrich. Maen nhw'n llawer hŷn nag yr oedden nhw yn y llun arall a dynnwyd yn Fron-goch ond nhw ydyn nhw, heb os. Ble gawsoch chi'r llun?'

'Mi o'n i'n chwilota yn y to a ffeindis i focs.'

'Oedd unrhyw beth arall yn y bocs?'

'Dim byd o ddiddordeb. Drychwch ar gefn y llun. Mi gafodd ei dynnu yn 1939, mae'n debyg.'

Troais y llun drosodd ac edrych ar y geiriau: 'Müritz, Mehefin 1939'.

'O, dwi wedi eich camarwain!' ebychais. 'Nid "nwyddau" mae Waren yn ei olygu yn y cyd-destun hwn, ond tref. Mae Waren yn enw ar dref.'

'Tref? Yn lle?'

'Ar lan Llyn Müritz yn yr Almaen, ddwyawr i'r gogledd o Ferlin mewn car. Dim ond awr i ffwrdd o arfordir y Baltig.'

'Dach chi'n nabod y dre?'

'Ydw, a'r llyn hefyd. Aeth fy mam â fi ar wyliau yno unwaith.'

'Ro'n i'n ama' mai yn yr Almaen oedd o.'

Roedd yn rhaid i mi chwerthin. 'Oherwydd y Natsïaid, ie?' gofynnais â fy nhafod yn fy moch. Roeddwn yn difaru dweud hynny'n syth pan welais wyneb Seiriol yn disgyn.

'Wel, mi oeddan nhw'n eitha adnabyddus am heidio i wledydd eraill.'

'Oedden, wrth gwrs. Chi'n iawn,' ymddiheurais.

'Na, a deud y gwir, nid o'u herwydd nhw, ond oherwydd y ddau ddot uwchben yr u bedol yn yr enw Müritz.'

'Y didolnod?'

'Sori?'

'Dyna enw'r ddau ddot.'

'O, iawn... do'n i ddim yn gwybod hynny.'

Melltithiais fy hun unwaith eto am geisio bod yn rhy glyfar.

'Wel, does dim rheswm pam y dylech chi fod wedi–'

'Beth bynnag,' torrodd Seiriol ar fy nhraws, 'dydy petha ddim yn edrych yn addawol iawn, nac'dyn? 'Dan ni'n gwybod mai am gydweithio â'r gelyn y cafwyd Alun yn euog, a dyma fo yn yr Almaen ryw dri mis cyn cychwyn yr Ail Ryfel Byd, yn hamddena efo dau Natsi! A be am y llythyr a sgwennodd o ddau fis yn ddiweddarach... be ddywedodd o? Rwbath am weithio efo Friedrich am flynyddoedd maith tuag at rwbath roedd y ddau ohonyn nhw'n credu ynddo?'

'Ie, ond dyw'r llun na'r llythyr yn profi dim,' protestiais, er nad oeddwn yn credu fy ngeiriau fy hun mewn gwirionedd.

'Dim profi, na, ond mae'n amheus dros ben. Beth oedd chwarelwr o Gymru'n ei wneud yn yr Almaen yn y lle cyntaf?'

Gwibiodd ton o gyffro drwydda i wrth i'r geiniog ddisgyn.

'Nid dyna'r tro cyntaf iddo fod yno chwaith,' dywedais gyda thinc hunanfodlon yn fy llais.

'Be?'

'Wel,' eglurais, 'mae gen i lun o Friedrich ar ei ben ei hun, ond dwi newydd sylweddoli pwy dynnodd e.' Chwilotais yn fy mag llaw am ychydig eiliadau, cyn estyn llun arall dros y bwrdd. 'Drychwch ar y cefn.'

'Friedrich, Berlin, Mehefin 1930,' darllenodd Seiriol yn uchel wrth droi'r llun drosodd ac edrych ar y dyn yn sefyll o flaen y Siegessäule.

'A dach chi'n meddwl mai Alun oedd y tu ôl i'r camera?'

'Ydw. Rydych chi newydd sôn am y llythyr yrrodd Alun at Friedrich. Wel, ddes i o hyd i'r llun a'r llythyr yn yr un tun, a doedd dim byd arall ynddo. Sai'n gwybod pam na wnes i'r cysylltiad o'r blaen, ond mae'ch llun chi wedi gwneud i bopeth ddisgyn i'w le!'

'Popeth?'

'Wel, iawn, nid popeth efallai, ond mae'r darlun yn dod yn gliriach fesul tipyn beth bynnag.'

'Dach chi'n meddwl? Dwi'n methu gwneud pen na chynffon o'r cwbwl, rhaid imi ddeud.'

Pennod 11

23:13, nos Wener, 2il Awst 2019.

Ystafell 10, Gwesty Tŷ Gorsaf, Stryd Fawr, Blaenau Ffestiniog.

Eisteddais ar ymyl fy ngwely yn fy mhyjamas yn meddwl am y noson oedd newydd ddod i ben. Doeddwn i ddim yn gwybod beth i'w ddisgwyl cyn i mi gwrdd â Seiriol, ac er i ni fynd i dafarn y Meirion am beint arall a sgwrs ddifyr ar ôl i'r Chwarelwr gau, doeddwn i ddim yn teimlo fy mod wedi dod i'w adnabod o gwbl. Ond o leia roedden ni wedi dechrau galw 'ti' ar ein gilydd, oedd yn gam i'r cyfeiriad cywir. Roeddwn i'n hanner meddw pan ddychwelais i'r gwesty, ac wedi blino'n lân ar ôl fy nhaith hir a siarad cymaint o Gymraeg, ond cefais noson ddymunol – llawer gwell nag aros yn fy ystafell westy. Ond roeddwn angen cyfarfod Seiriol eto – wedi'r cyfan, fy mhrif amcan yn ystod fy ymweliad â Chymru (ar wahân i fwynhau fy Eisteddfod gyntaf) oedd ceisio datrys y dirgelwch o gwmpas Friedrich ac Alun, a doedd gen i 'mo'r gobaith lleiaf o wneud hynny heb ei gymorth a'i gysylltiadau ef.

Cyn cysgu, cydiais yn fy ffôn, oedd wedi'i ddistewi ers dechrau'r noson. Sylwais fod fy nhrydariad 'Cancel Brexit' wedi cael cryn dipyn o ymateb, ac un o fy ffrindiau o Ffrainc wedi anfon neges breifat ataf o ganlyniad iddo.

'Haia Katja! Newydd weld dy fod ti ym Mlaenau Ffestiniog! Mae Fernanda a finnau'n aros ar faes gwersylla Cymdeithas yr

Iaith, ac am fynd i ddigwyddiad Tŷ Newydd Ar Daith gydag Eurig Salisbury a Bethan Gwanas am 12.45 fory yn y Babell Lên. Gan dy fod ti'n ffan mawr o bodlediad Clera, wyt ti am ddod gyda ni? Gallem gwrdd am ginio yn Platiad gyntaf, am hanner dydd? Amélie xx'

Dyna neges i godi calon! Atebais yn syth i dderbyn y gwahoddiad, a llifodd teimlad o berthyn drwydda i. Roedd y Gymraeg – a'r Eisteddfod – yn wyrthiol. Ble arall yn y byd allai Ffrances, Brasiliad ac Almaenes gyfarfod mewn cae yng nghanol nunlle er mwyn siarad iaith leiafrifol gyffredin â'i gilydd?

Roedd yn amser i mi droi fy meddwl at waith, meddyliais, a chydio yn fy ngliniadur er mwyn chwilota drwy wefan Tŷ'r Cwmnïau. Suddodd fy nghalon wrth ddarllen yr hysbysiad ar y sgrin: 'Maintenance work from 10pm on Friday 2 August until 6pm on Sunday 4 August will affect all our online filing and search services. We're sorry for any inconvenience.'

'*Scheiße!*' ebychais yn uchel.

Wrth ddiffodd y lamp ger y gwely, clywais sŵn criw o bobl ifanc yn chwarae'n wirion yn y maes parcio gyferbyn â'r gwesty, a cheir yn taranu heibio ar yr A470 nes gwneud i'r ffenestri grynu. Caeais fy llygaid a cheisio anwybyddu'r cyfan. Allwn i ddim aros tan fore trannoeth.

Pennod 12

10:55, fore Sadwrn, 3ydd Awst 2019.

Maes Parcio Glas Eisteddfod Genedlaethol Dyffyn Conwy, priffordd yr A470 ger Llanrwst.

Parciais fy nghar llog ar ben pellaf un o'r rhesi o geir, gwisgo fy mag cefn bychan ac ymuno â'r afon o bobl a gerddai i gyfeiriad prif fynedfa'r Eisteddfod Genedlaethol. Roedd hi'n dwym er gwaetha'r cymylau bygythiol, ond roeddwn i'n barod am bob math o dywydd yn fy nillad gŵyl: bŵts uchel du, shorts du, tanc-top gwyn a chôt law o liw olewydd ysgafn. Roeddwn yn gynnwrf i gyd ar ôl breuddwydio am gael bod yn rhan annatod o'r dorf hon. Cerddais yn benderfynol drwy'r caeau fel petawn yng nghanol neidr gantroed enfawr, a chroesi'r bont roedd trefnwyr yr Eisteddfod wedi ei hadeiladu i gerddwyr dros y briffordd. Gwenais wrth weld y baneri lliwgar a'r arwydd CROESO I'R EISTEDDFOD yn fwa coch o'm blaen. Roeddwn i bron â chyrraedd! Cyflwynais fy nhocyn dydd i wirfoddolwr a safai wrth un o'r giatiau electronig.

'Diolch, a chroeso i'r Steddfod,' meddai hwnnw'n hynod o gwrtais. 'Gobeithio y cewch chi ddiwrnod da.'

'O, diolch! Fe wna i, yn sicr!' atebais gyda gwên.

Ac oedd, roedd e'n ddiwrnod da – diwrnod arbennig o dda. Roeddwn ar ben fy nigon mewn amgylchedd cwbl Gymraeg o'r diwedd, ar ôl blynyddoedd o ddysgu'r iaith ac o wrando ar Radio Cymru bob dydd er mwyn cael teimlo'n nes ati.

Ar ôl i mi basio drwy'r fynedfa, agorais Fap y Maes i astudio cynllun y pentref sylweddol a godwyd mewn ychydig wythnosau'n unig. Nid am y tro cyntaf, rhyfeddais at ddoniau'r Cymry Cymraeg i gynnal iaith a diwylliant yn wyneb ymgeisiau di-baid i'w mygu. Wfft i'r awgrym na allai Cymru oroesi fel gwlad annibynnol!

Roedd y llefydd roeddwn i eisiau eu mynychu'n hawdd i'w darganfod – y Tŷ Gwerin, Bar Syched, y Babell Lên, y Pentref Bwyd, Llwyfan y Maes a thŷ bwyta Platiad... ond nid Caffi Maes B. A minnau'n ddim ond chwech ar hugain oed, roeddwn yn teimlo chydig yn rhy hen i'r fan honno bellach. Edrychais ar fy oriawr. Deng munud wedi un ar ddeg, ac roedd gen i ddigon o amser i grwydro chydig ar y Maes cyn cyfarfod Amélie a Fernanda am hanner dydd.

Wrth ddechrau cerdded yn araf heibio i'r stondinau amrywiol, mwynheais glywed y Gymraeg, a dim ond y Gymraeg, yn cael ei siarad o'm cwmpas: cyplau ifainc gyda'u plant, hen bobl, dynion canol oed a merched mewn grwpiau a oedd yn gyfoedion i mi, i gyd yn gwenu'n braf, yn chwerthin ac yn siarad ar draws ei gilydd. Teimlwn yn genfigennus o'r bobl oedd yn taro ar ffrindiau ar hap gyda chyfarchion a chofleidiau, gan ddechrau credu'r hyn a glywais ynglŷn â phawb yng Nghymru yn adnabod ei gilydd!

Cefais fy nal yn annisgwyl felly pan glywais fy enw fy hun drwy'r dorf wrth i mi gyrraedd stondin Cymdeithas yr Iaith.

'Katja!'

Troais a gweld Seiriol yn sefyll o flaen y stondin gydag un a oedd, yn ôl pob golwg, yn ceisio darbwyllo pobl i ymuno â'r Gymdeithas. Roeddwn i'n aelod yn barod, wrth gwrs.

'Sut wyt ti? Newydd gyrraedd y Maes?'

'Ie. Dwi'n iawn, diolch. Titha?'

'Ddim yn ddrwg. Dwi wedi cael hoe fach, ond rhaid i mi fynd yn ôl i weithio ar stondin y Mentrau Iaith rŵan. I ba gyfeiriad ti'n mynd?'

'Dwi'n cyfarfod ffrindiau yn Platiad.'

'O, wel, mi gerdda i ran o'r ffordd efo chdi, 'ta.' Ffarweliodd Seiriol â'i ffrind a dechreuodd y ddau ohonom gydgerdded. 'Am gyd-ddigwyddiad i mi daro arnat ti fel hyn,' meddai.

'Ie, a dwi'n falch iawn o dy weld dithau hefyd – mae cwestiwn y gwnes i anghofio'i ofyn i ti neithiwr. Wel, sawl cwestiwn a dweud y gwir.'

'Ffwrdd â chdi, 'ta!'

'Grêt. Wel, dwi wedi bod yn meddwl am yr hyn a ddywedaist ti yr wythnos ddiwethaf am y gwersyll.'

'Fron-goch?'

'Ie. Wnest ti sôn am siarad â hanesydd lleol... felly, pa fath o wersyll oedd e? Beth oedd y drefn o ddydd i ddydd? I ba raddau y byddai'r carcharorion wedi dod i gysylltiad â'r gwarchodwyr? Hynny yw, sut allai Alun a Friedrich fod wedi dod yn ffrindiau o dan y drefn honno? Sut a phryd ddysgodd Friedrich y Gymraeg? Ac i ba wersyll gafodd e ei symud ar ôl Gwrthryfel y Pasg?'

'Iesgob! Wn i ddim o hynny.'

'Dyna'r allwedd i'r holl ddirgelwch, dwi'n meddwl. Rydyn ni angen cymaint o wybodaeth â phosib.'

'Ydan, ond wn i ddim a fedrith yr hanesydd ateb yr holl gwestiynau 'na.'

'Wel, efallai ddim, ond byddai atebion i hyd yn oed un neu ddau ohonyn nhw'n help mawr.'

'Iawn, mi ofynna i iddo fo.'

'Gwych. Pryd weli di e, 'te?'

'Mi fydd o yn y Babell Lên yn nes ymlaen, mae'n debyg. Be am i ni gyfarfod am beint ym Mar Syched heno, yn y gobaith y bydd gen i ateb neu ddau i ti erbyn hynny? Yrra i decst i ti.'

'Mae hynny'n swnio'n wych!'

'Dyna ni, 'ta,' meddai Seiriol wrth i ni gyrraedd stondin Mentrau Iaith Cymru. 'Tan heno, Katja, a mwynha'r Steddfod!'

Hanner munud ar ôl i mi ffarwelio â Seiriol, canodd fy ffôn. Enw Silke oedd ar y sgrin.

'Wel, wyt ti wedi datrys y dirgelwch eto?' dechreuodd heb gyfarchiad, hyd yn oed.

'Rho gyfle i mi!' atebais gyda gwên wrth i mi ymlwybro rhwng y Babell Lên a Chylch yr Orsedd. 'Dim ond brynhawn ddoe wnes i gyrraedd!'

'Ond ti'n iawn, wyt? Ti'n mwynhau?'

'Ydw, mae'n wych yma. Dwi'n falch iawn 'mod i wedi dilyn dy gyngor di. Es i allan am bryd o fwyd gyda Seiriol neithiwr, a–'

'Katja!' ebychodd dau lais benywaidd o 'mlaen – dwy ferch nad oeddwn i erioed wedi cwrdd â nhw yn y cnawd ond a oedd yn hynod o gyfarwydd i mi ar ôl gweld eu lluniau ar sgrin. Roedd un yn bengoch a bron mor fach â fi, ond yn dipyn mwy crwm, a'r llall yn dal, yn osgeiddig ac yn dywyll ei chroen.

'Sori, cariad,' meddwn wrth Silke, 'rhaid i mi fynd. Dwi newydd weld Amélie a Fernanda, fy ffrindiau Trydar o Ffrainc a Brasil. Ti'n eu cofio?'

'Ydw, dwi'n dy gofio di'n sôn amdanyn nhw. Mae'n iawn, cer i chwarae gyda dy ffrindiau newydd,' meddai Silke, yn ffug-flin. 'Ond o ddifri, dim ond tynnu arnat ti ydw i.'

'Dwi'n gwybod. Caru ti, Silke.'

'Finne tithe. Wnawn ni siarad yfory, iawn?'

Ffarweliais â Silke a diffodd fy ffôn, a chefais fy nghofleidio'n gynnes gan Amélie a Fernanda.

'Wel, dyma dda,' byrlymodd Amélie, yr un fer, 'rydyn ni i gyd yn gynnar!'

'Mae hi mor braf cwrdd â'r ddwy ohonoch chi go iawn o'r diwedd,' atebais, gan arwain y ddwy at y bwyty.

'Drychwch,' meddai Fernanda, 'mae bwrdd y tu allan newydd ddod yn rhydd. Wnawn ni geisio'i fachu?'

'Syniad da.'

Llithrodd Fernanda, a oedd yn llawer mwy athletaidd nag

Amélie a finnau, dros y gwair mor sionc â gafr ac eistedd i lawr ar un o'r cadeiriau plastig gwyn o dan ymbarél haul, yn wên o glust i glust.

'Gadewch i ni gael sgwrs fach yma cyn i ni fynd i mewn i archebu,' awgrymodd Amélie wrth iddi hithau eistedd i lawr. 'Neithiwr wnest ti gyrraedd, Katja?'

'Ie. Wel, yn hwyr yn y prynhawn a dweud y gwir. Doedd gen i ddim syniad eich bod chi'n dod i'r Eisteddfod. Dwi ddim wedi bod ar Trydar gymaint yn ddiweddar,' eglurais.

'Mae'r Maes yn edrych yn anhygoel, on'd yw e?' rhyfeddodd Amélie. 'Wyt ti erioed wedi ymweld ag Eisteddfod o'r blaen?'

'Naddo,' atebais.

'Na finnau,' meddai Amélie. 'Wrth gwrs, dwi wedi mynychu gwyliau lu yn Ffrainc a'r Eidal, ond gwyliau cerddoriaeth oedd y rheiny. Dyna beth sydd mor unigryw am hyn i gyd – mae cymaint yma. Cerddoriaeth o bob math, celf, llenyddiaeth, barddoniaeth...'

'Oes 'na rywbeth tebyg ym Mrasil, Fernanda?' gofynnais.

'Nac oes, ond mae gan Frasil a Chymru rywbeth yn gyffredin, ym myd barddoniaeth – mae beirdd yr un mor uchel eu parch yn y ddwy wlad, ac uchel eu statws cymdeithasol. Rhywbeth sydd wrth wraidd y ddau ddiwylliant, mae'n debyg. Fel yng Nghymru, mae pobl gyffredin ym Mrasil yn gwerthfawrogi barddoniaeth gymaint, a chrefft y beirdd gorau. Dyw e'n ddim i'w wneud ag addysg ffurfiol. Mae'n llawer dyfnach na hynny. Er enghraifft, pan fu farw Carlos Drummond de Andrade, codwyd cerflun i'w anrhydeddu, ac mae pobl yn teithio o bell i'w weld hyd heddiw.'

'Jiw, jiw!' ebychais. 'Hoffwn i ymweld â Brasil ryw ddydd, ond mae'n daith hir. Mae'n anhygoel dy fod ti wedi dod yr holl ffordd yma, Fernanda.'

'Wel, allwn i ddim colli'r cyfle i weld Carwyn Ellis!'

'O ie, wrth gwrs, dwi'n dwlu ar ei albwm newydd. Mae'n

siŵr bod y caneuon yn gweddu i'r dim i ti. Ydy'r gerddoriaeth yn wirioneddol Frasilaidd?'

'O ydy, yn hollol; mae'n wych! Dwi wedi bod yn aros am gymysgedd o fy hoff steil o gerddoriaeth a'r iaith Gymraeg ers blynyddoedd, a dyna fe! Alla i ddim credu fy mod yn mynd i'w weld e'n fyw!'

'Nos Iau fydd e'n chwarae gyda Rio 18, ie?'

'Ie,' atebodd Fernanda. 'Ti'n dod gyda ni?'

'Na. Yn anffodus, bydda i'n dychwelyd i'r Almaen ddydd Mercher.'

'O, dyna drueni,' meddai Amélie, a oedd, fel y gwyddwn, hefyd yn ffan o bossa nova a samba.

'Dwi'n dychmygu dy fod ti mewn galar o hyd, Fernanda.'

'At João Gilberto ti'n cyfeirio?'

Nodiais. Gwyddwn fod brenin bossa nova wedi marw yn Rio de Janeiro ychydig wythnosau ynghynt: union wythnos ar ôl Mam, fel mae'n digwydd.

'Ie,' aeth Fernanda yn ei blaen, 'ond mae 'na ddywediad ym Mrasil: *águas passadas não movem moinho.*'

'Beth mae hynna'n ei olygu?' gofynnais.

'Rhywbeth fel... "ni all dyfroedd y gorffennol droi'r felin".'

'O, dyna athronyddol! Bod angen byw yn y presennol a pheidio ag ymdroi gyda'r gorffennol?'

'Rhywbeth fel'na.'

Yn ddirybudd, cododd hiraeth annioddefol yn fy nghalon am Mam.

'Katja? Be sy'n bod?' holodd Amélie. 'Ti'n wylo.'

'Na, dwi'n iawn. Mae 'na rywbeth yn fy llygad, dyna i gyd. Ewch chi'ch dwy i mewn i archebu gyntaf – wna i gadw'r bwrdd i ni, ac archebu wedyn.'

Pennod 13

Bar Syched, Maes yr Eisteddfod Genedlaethol, Llanrwst.

'Gest ti amser da pnawn 'ma?' gofynnodd Seiriol wrth iddo estyn peint o Guinness i mi.

'Diolch i ti... do,' atebais wrth bwyso'n erbyn y bar a chymryd llond ceg o gwrw du cyn sychu'r ewyn oddi ar fy ngwefus uchaf gyda chefn fy llaw. 'Treuliais i'r prynhawn cyfan yn y Babell Lên gyda ffrindiau wnes i eu cyfarfod ar Drydar. Roedden ni wrth ein boddau.'

'Saeson ydyn nhw?' gofynnodd Seiriol wrth gymryd llymaid o'i Guinness ei hun.

'Na, dim o gwbl! Daw un o'r merched o Normandi a'r llall o ddinas ger São Paulo.'

'Anhygoel! Mi fyddai'n dda gen i tasa rhagor o Gymry'n cymryd dalen o'u llyfr nhw... a dy lyfr di hefyd, wrth gwrs. Mae dy Gymraeg di'n well na Chymraeg y rhan fwya o bobol dwi'n eu nabod!'

'Wel, mae pellter yn caniatáu i bobl weld yn gliriach weithiau, on'd yw e? Does dim modd bob tro gweld yr hyn sydd o dy flaen di.'

'Mmm, mae hynna'n swnio'n rhy garedig i mi.'

Gan nad oeddwn i'n siŵr sut i ymateb i'r sylw hwnnw, edrychais o gwmpas y bar. Roedd y lle dan ei sang ac, er gwaethaf ei ochrau agored, yn swnllyd iawn. Ond sŵn hapus oedd e, fel petai pob un yn y bar yn dathlu'i ben blwydd.

Doeddwn i erioed wedi gweld na chlywed mwy o chwerthin yn unman. Yn sydyn, dyma sawl aelod o gôr (oedd wedi bod yn cystadlu yn y Pafiliwn y prynhawn hwnnw, dyfalais wrth edrych ar eu crysau) yn dechrau canu dehongliad byrfyfyr, hyfryd o'r gân 'Gwinllan a Roddwyd', cân a wnâi i mi deimlo'n emosiynol bob tro.

'Dim ond yng Nghymru!' meddwn yn frwd.

'Ti'n iawn. Dyna'r Steddfod Gen i ti!'

'Lwyddaist ti i siarad gyda'r hanesydd lleol?' gofynnais, gan godi fy llais er mwyn i Seiriol fy nghlywed uwchben lleisiau'r côr y tu ôl i mi.

'Sori?'

'Awn ni mas am sbel? Bydd yn haws cael sgwrs.'

'Syniad da,' bloeddiodd Seiriol.

Ar ôl i ni gymryd ychydig gamau i ffwrdd o'r bar a'i ddwndwr, gofynnodd Seiriol i mi, 'Sori, be oedd dy gwestiwn di? Wnes i ddim clywed.'

'Wyt ti wedi llwyddo i siarad â'r hanesydd lleol heddiw?'

'O, do! Mi oedd o'n help mawr.'

'Wir? Beth ddywedodd e?'

'Yn ei farn o, Clefyd y Weiran Bigog sydd wrth wraidd bob dim.'

'Clefyd y beth?'

'Clefyd y Weiran Bigog. Mae o fel siel-syfrdandod, mae'n debyg, ond yn cael ei achosi gan weiran bigog yn hytrach na ffrwydron.'

'Beth?'

'Ia, dwi'n gwybod, mae'n swnio'n od. Yn y bôn, y ddamcaniaeth ar y pryd oedd...'

'... ganrif yn ôl, felly?'

'Ia, ganrif yn ôl. Y ddamcaniaeth oedd bod syllu ar weiran bigog o gwmpas y gwersyll...'

'Pa wersyll?'

'Unrhyw wersyll, dwi'n meddwl. Beth bynnag, mi oedd syllu ar y weiran bigog o gwmpas gwersyll trwy'r amser yn gwneud i garcharorion fynd yn wallgof. Be ddywedodd o eto? O ia... mi oedd y weiran bigog yn symbol o gyfyngiad a digalondid y carcharorion. Rhyw fath o seicosis oedd o, ac mi oedd pob carcharor yn dioddef ohono ar ôl chwe mis mewn gwersyll.'

Tynnais fy ffôn allan o boced fy nghôt law ac agor y llun a dynnais o bostiad Facebook Seiriol.

'Drycha,' meddwn, wrth ddangos sgrin fy ffôn iddo, 'dyna weiren bigog o gwmpas gwersyll Fron-goch.'

'Yn union. Amser oedd yr archelyn yno, mae'n debyg, a doedd dim cysylltiad efo'r byd y tu allan chwaith. Doedd dim preifatrwydd, ddim am eiliad, dim posib o fod ar eu pennau eu hunain... byth. Dim merched, dim plant, dim hen bobol, dim pobol ifanc... dim ond torf o ddynion gafodd eu gorfodi i fyw yn erchyll o agos at ei gilydd am gyfnod amhenodol. Hefyd, mi ddysgais fod Fron-goch yn wersyll ar gyfer swyddogion Byddin yr Almaen... swyddogion yn unig. Ac mae Vivian – dyna enw'r hanesydd lleol, gyda llaw – mae Vivian yn deud nad oedd swyddogion yn gweithio yno o gwbl.'

'Ie, ro'n i'n gwybod mai swyddog oedd Friedrich. Roedd e'n freintiedig a chyfoethog hefyd. Gallaf ddychmygu y byddai hi wedi bod yn anodd iawn iddo fe ymdopi â diffyg lle a llonydd.'

'Dwi'n siŵr dy fod di'n iawn. Yn ôl Vivian, doedd dim byd i'w wneud trwy gydol y dydd. Mi oedd 'na barêd er mwyn cyfri'r carcharorion, wedyn brecwast, wedyn dim byd... am oriau.'

'Fyddai holl arian Friedrich wedi bod o unrhyw help iddo?' gofynnais.

'O bosib, ond nid ymysg y carcharorion. Yn ôl Vivian, roedd 'na lawer o gyfnewid – sardîns am siocled ac yn y blaen. Fyddai arian ddim yn llawer o werth mewn gwersyll, felly. Ond mae'n bosib fod Friedrich wedi prynu rwbath gan Alun efo arian.

Roedd gan Alun deulu ifanc, ac yng nghyfnod y Rhyfel roedd 'na brinder mawr.'

'Ond prynu beth? Fyddai wedi bod yn bosib iddo fe gael gafael ar ei arian, hyd yn oed?'

'Basa. Mi fedrai ei berthnasau fod wedi gyrru arian trwy'r post. A...' oedodd Seiriol am eiliad fel petai newydd feddwl am rywbeth, '... be am hwn fel syniad? Be os wnaeth Friedrich dalu i Alun am wersi Cymraeg?'

'Jiw, dyna fendigedig!'

Gwenodd Seiriol fel giât. 'Ti'n meddwl?'

'Yn bendant! Mae hynny'n gwneud perffaith synnwyr.'

'Wel, yn ôl Vivian, roedd addysg yn cael ei gweld fel ateb, neu ryw fath o driniaeth i ddelio ag epidemig Clefyd y Weiran Bigog. Dydy o ddim yn siŵr am Fron-goch yn benodol... wel, mi ddeudodd o fod 'na lyfr am hanes y Gwyddelod yn Fron-goch, ond mae'n debyg bod petha wedi newid yno erbyn hynny. Ac wrth gwrs, dim ond am gwta flwyddyn roedd carcharorion o'r Almaen yno. Ond mi oedd sawl un o'r gwersylloedd bron fel prifysgolion, efo bob math o bynciau'n cael eu dysgu yno. A be ti'n feddwl oedd y pynciau mwyaf poblogaidd?'

'Ieithoedd?'

'Cywir! Mi oedd 'na gwt neu ystafelloedd arbennig wedi'u neilltuo ar gyfer astudio.'

'Dyna gyfareddol! Ond o ble ddaeth yr holl lyfrau?'

'Llyfrau?'

'Ie, y rhai oedd yn cael eu defnyddio gan yr athrawon mewn gwersi.'

'O... gan elusennau, hyd y gwn i.'

'Iawn. Felly, gad i ni gymryd taw tiwtor Cymraeg Friedrich oedd Alun. Sut fyddai hynny wedi troi'n gyfeillgarwch neu'n bartneriaeth fusnes rhwng y ddau? Fyddai'r ffaith fod Friedrich yn fonheddwr ac Alun yn dod o'r dosbarth gweithiol yn bwysig... yr elfen o ragfarn?'

'Falla. Mae hynny'n fy atgoffa o rwbath arall ddeudodd Vivian – bod rhai o'r swyddogion yn Fron-goch wedi dŵad â milwyr cyffredin efo nhw, fel gweision, creda neu beidio.'

'Na!'

'Do, ond dwi ddim yn meddwl mai felly roedd hi yn yr achos yma. Roedd Alun mewn safle uwch na Friedrich fel athro arno, cofia. Wel, a chymryd mai dyna oedd o, wrth gwrs.'

'Iawn, gad i ni ystyried mai felly oedd hi... a dyma'r cwestiwn dwi'n dod yn ôl ato dro ar ôl tro. Sut ar y ddaear allen nhw fod wedi cyfathrebu ar ôl y flwyddyn honno? Roedd gohebiaeth yn cael ei monitro a'i rheoli'n llym!'

'Mmm,' meddai Seiriol wrth iddo synfyfyrio ar y cwestiwn, 'ti'n iawn. Mae'n ddirgelwch o hyd.'

Yr eiliad honno, daeth criw o ddynion ifanc tuag atom o gyfeiriad stondin Recordiau Sain.

'Seiriol!' bloeddiodd un ohonyn nhw. 'Dy rownd di ydy hi, dwi'n meddwl. Hei, mae Seiriol yn prynu diod i bawb, bois!'

'Hegla'i o'ma, Gwion! Ti'n gwneud sôn amdanat dy hun eto?' atebodd Seiriol yn gellweirus, ond gwelais yr olwg ar ei wyneb yn newid.

'Ddylwn i fynd,' meddwn, 'a d'adael di a dy ffrindiau.'

'Ti'n siŵr?' gofynnodd. Roedd fel petai'n cael ei rwygo rhwng mynd ac aros.

'Ydw. Mi ro' i lifft i Amélie a Fernanda yn ôl i faes gwersylla Cymdeithas yr Iaith yn y car. Mae tipyn o waith cerdded o'r fan yma.'

'Seiriol!' ffug-ddwrdiodd un arall o'r criw wrth guro cefn Seiriol yn chwaraeus a gwenu'n awgrymog arnaf i. 'Be fasa Glain yn ddeud?'

Glain? Pwy oedd Glain, tybed? Rhaid bod ganddo gariad. Wnaeth e ddim sôn gair... ond eto, nid oedd a wnelo hynny ddim â fi. Pam felly roeddwn i'n teimlo'r fath siom?

'Hwyl!' meddwn wrth droi i ffwrdd yn bwdlyd.

'Decstia i di!' galwodd Seiriol ar fy ôl.

'Cer i grafu,' meddyliais, er nad oeddwn i'n siŵr pam. Wnes i ddim ateb na throi rownd.

Pennod 14

09:27, fore Sul, 4ydd Awst 2019.

Carn Uchaf, Stryd Maenofferen, Blaenau Ffestiniog.

Canais gloch y drws ffrynt â theimlad a oedd yn gymysgedd o anesmwythder a chyffro. Wrth i mi aros am ateb, daeth y neges destun a gefais gan Seiriol yn hwyr y noson gynt i fy meddwl unwaith eto.

'Sori am ymddygiad fy ffrindiau, Katja. Maen nhw'n halen y ddaear fel arfer, ond mi gawson nhw un yn ormod ar ôl ennill cystadleuaeth y bandiau pres yn y Pafiliwn. Ga' i wneud iawn am y peth? Ty'd i gael brecwast efo ni yn y bore – dwi'n gwybod nad oes brecwast ar gael yn dy westy di. Ti'n gwybod y cyfeiriad yn barod: Carn Uchaf, Stryd Maenofferen, iawn? Wela i di am 9.30?'

Ar ôl aros am ychydig, clywais sŵn traed y tu ôl i'r drws. Agorwyd ef gan ferch yn ei hugeiniau cynnar oedd â wyneb crwn, cyfeillgar a'r un llygaid cynnes a phefriog, a'r un gwallt tywyll, â Seiriol. Roedd hi'n eithaf amlwg ei bod yn chwaer iddo.

'Katja?' holodd hi.

'Ie. Bore da.'

'Bora da i titha hefyd, a chroeso! Mabli ydw i, chwaer Seiriol. Ty'd i mewn, mae brecwast bron yn barod.'

'O, diolch o galon i chi.'

Dilynais hi ar hyd cyntedd golau. Wrth basio, sylwais fod y calendr ar y wal yn dangos mis o'r flwyddyn cynt, Mehefin 2018.

Roedd sgrifen yn nodi digwyddiadau ar hanner cyntaf y dudalen, ond roedd diwedd y mis yn wag. Cyn i ni gyrraedd y gegin ym mhen draw'r cyntedd, trodd Mabli i'r chwith i mewn i ystafell fwyta chwaethus. Roedd Seiriol a dynes oedrannus ond bywiog yr olwg eisoes yn eistedd wrth y bwrdd.

'Bora da, Katja,' meddai Seiriol. 'Diolch am ddŵad. Gysgaist ti'n dda?'

'Yn dda iawn, diolch. A diolch am y gwahoddiad.'

'Ti'n westeiwr gwael iawn, ti'n gwybod hynna?' oedd sylw Mabli wrth ei brawd. 'Mi ddylat *ti* fod wedi ateb y drws a chyflwyno Katja i *mi*, yn hytrach nag eistedd yn fanna ar dy din mawr tew.'

'Dydy fy nhin i ddim yn dew!' taerodd Seiriol. Nac ydy wir, meddyliais. 'Ond ti'n iawn,' meddai wedyn. 'Sori Mabli. Sori Katja, am beidio dy gyflwyno di i fy annwyl chwaer.'

'Paid â phoeni! Dwi'n ddiolchgar am y gwahoddiad i ddod yma,' meddwn.

'A dwyt ti ddim wedi ei chyflwyno hi i Nain!' ychwanegodd Mabli wrth ei brawd. 'Gymeri di baned o de neu goffi, Katja? Neu sudd oren?'

'Coffi du, os gwelwch yn dda. Dim siwgr.'

'O, yn union fel Seiriol. Wn i ddim sut mae pobol yn medru yfed coffi heb lefrith, ond pawb at y peth y bo, am wn i!'

Diflannodd Mabli i mewn i'r gegin yn mwmian yn llon.

Ciledrychais o gwmpas yr ystafell fwyta a sylwi ar y lluniau ar y waliau glas golau: printiadau o 'Salem', Caer Arianrhod a phentref Capel Celyn, mewn fframiau chwaethus.

'Branwen ydw i,' meddai'r hen wraig â gwallt arian, gan estyn ei braich dros y bwrdd er mwyn ysgwyd fy llaw. Roedd ganddi afael syfrdanol o gryf. 'Mae'n well peidio â dibynnu ar ddynion i wneud unrhyw beth pwysig yn fy mhrofiad i!'

'Wel...' Doeddwn i ddim yn siŵr sut i ymateb, yn enwedig gan nad oeddwn yn gwybod pwy allai glywed ein sgwrs ni o'r gegin. Roeddwn i'n cymryd bod rhieni Seiriol yn paratoi brecwast, a doeddwn i ddim am bechu.

'Peidiwch â bod yn rhy swil i ddeud – mae pawb yn gwybod hynny!'

'Pawb heblaw holl ddynion y byd, efallai,' mentrais.

Curodd Branwen ei dwylo i ddangos ei gwerthfawrogiad o'm sylw, a goleuwyd ei hwyneb gan wên ddireidus. Gallwn weld ei bod yn ferch brydferth yn ei dydd.

Daeth Mabli yn ei hôl a rhoi paned o goffi o fy mlaen i ar y bwrdd.

'Dyna chdi! Dwi'n gobeithio nad ydi o'n rhy gryf.'

'O, diolch o galon i chi. Dwi'n siŵr na fydd e.'

'Felly,' aeth Branwen yn ei blaen, 'mae Seiriol wedi dweud mai o'r Almaen dach chi'n dŵad.'

'Ie.'

'Wel, mae'n rhaid i mi ddeud bod eich Cymraeg chi'n dda iawn!'

'O, diolch,' atebais wrth wrido, 'mae gen i gariad tuag at yr iaith, dyna'r cyfan.'

'Ond dwi'n ei gweld hi'n rhyfedd bod cymaint o ddysgwyr yn dewis dysgu tafodiaith y de. Pam mae hynny, dach chi'n meddwl? Be wnaeth i chi wneud y dewis hwnnw?'

'Wel, dwi'n credu bod rhagor o adnoddau ar gyfer tafodiaith y de. A dweud y gwir, roedd y dewis wedi'i wneud cyn i mi sylweddoli bod 'na ddewis.'

'Sôn am ddewis,' meddai dyn esgyrnog, canol oed wrth iddo ddod i mewn i'r ystafell yn gwisgo ffedog goch a'r geiriau gwynion 'Cofiwch Dryweryn' arni, 'selsig porc 'ta selsig figan fysach chi'n lecio i frecwast? Roedd Seiriol 'ma'n ama'ch bod chi'n llysieuwraig.'

'O, ydw. Byddai selsig figan yn wych. Do'n i ddim yn disgwyl mwy na grawnfwyd, a dweud y gwir.'

'Grawnfwyd? Mi fedrwn ni wneud chydig yn well na hynna!'

Roedd rhyw dristwch yn llygaid y dyn er gwaethaf ei wên groesawgar. Cychwynnodd i gyfeiriad y gegin, cyn newid ei feddwl a throi'n ôl ataf i a dweud, 'O, ddrwg gen i, ddyliwn i fod wedi cyflwyno fy hun. Dafydd ydw i, tad Seiriol a Mabli.' Estynnodd ei law i mi.

'Katja,' atebais wrth ysgwyd ei law.

Rowliodd Branwen a Mabli eu llygaid tua'r nenfwd, yna i gyfeiriad Seiriol, fel petai'r ddwy ohonyn nhw'n dweud 'Dynion!' o dan eu gwynt.

Dychwelodd Dafydd gyda'r bwyd ymhen ychydig, gyda chymorth Mabli ac – ar ôl hwb gan ei chwaer – Seiriol.

Roedd fy selsig, wyau wedi'u sgramblo, madarch a thomato'n arogli ac yn edrych yn hyfryd, ac roeddwn ar lwgu, ond sylwais ar un lle gwag ar ben y bwrdd, ger y ffenestr, wedi'i osod gyda chyllell, fforc, cwpan, soser a llwy.

'Ydyn ni'n aros am rywun? Dy fam?' gofynnais i Seiriol wrth iddo ddechrau bwyta'n awchus.

Yn syth, rhoddodd ei gyllell a'i fforc i lawr ar y plât ac, un ar ôl y llall, gwnaeth Mabli, Dafydd a Branwen yr un fath. Sylweddolais mai camgymeriad mawr oedd fy nghwestiwn.

'Dwyt ti ddim wedi sôn wrth Katja am Mam?' gofynnodd Mabli i'w brawd.

'Naddo,' atebodd Seiriol, yn teimlo cywilydd amlwg.

'Mae'n ddrwg 'da fi,' meddwn, 'wir.'

'Paid ag ymddiheuro,' meddai Mabli, oedd yn eistedd wrth fy ochr i, 'sut allet ti wybod? Y peth ydy… mi fu farw Mam y llynedd. Canser. Ond 'dan ni'n dal i osod lle iddi wrth y bwrdd.'

Roeddwn i eisiau i'r llawr fy llyncu, ond roedd fy ngalar fy hun yn drech na fi. Gallwn deimlo deigryn yn llifo i lawr fy moch.

'Katja?' gofynnodd Mabli â phryder yn ei llais. ''Sdim ots, wir, dim dy fai di ydy o.' Gwgodd ar ei brawd.

Estynnais am hances bapur o 'mhoced er mwyn chwythu fy nhrwyn.

'Be sy'n bod?' gofynnodd Mabli drachefn.

'Bu farw fy mam i o ganser hefyd... fis diwethaf.'

'O...!' ebychodd Mabli a rhoi coflaid hir a thyner i mi.

'Wir ddrwg gen i,' meddai Seiriol, 'doedd gen i ddim syniad.'

'Wel, rydyn ni i gyd yn dioddef, mae'n debyg,' meddwn.

Dychwelodd pawb at fwyta'r brecwast bendigedig mewn tawelwch. Yr unig sŵn oedd cyllyll a ffyrc yn tincian.

'Be dach chi isio'i weld ar y Maes heddiw?' gofynnodd Branwen i mi ymhen sbel.

'Sai'n siŵr eto,' atebais ar ôl eiliad neu ddwy, 'wel, dwi'n siŵr o un peth: fe fydda i yn y Tŷ Gwerin ar gyfer gig Gwyneth Glyn am chwarter i bedwar.'

'Gwych,' meddai Branwen yn siriol, 'a finna! Dwi wrth fy modd efo caneuon Gwyneth. Wel, gan ein bod ni'n dwy'n gymaint o ffans, be am i ni eistedd efo'n gilydd yno?'

'Byddwn i wrth fy modd.'

'Dyna ni, 'ta! Mi fydd un o fy hen ffrindiau ysgol efo fi hefyd: Mair. Mi fyddwch chi'n siŵr o'i lecio hi.'

'Mae Anti Mair yn wych,' ategodd Seiriol. 'Dipyn o gymeriad!'

'Tydi hi'n perthyn dim drwy waed i ni,' meddai Branwen, 'ond doedd hi ddim yn medru cael plant, a... wel, dach chi'n gwybod. Gyda llaw, mi wnes i anghofio gofyn. Sut dach chi'n nabod Seiriol?'

'Drwy'r cyfryngau cymdeithasol.'

'Facebook 'ta Twitter?'

'Facebook.' Roeddwn yn synnu ei bod yn gyfarwydd â'r gwefannau.

'Dwi ddim yn byw dan garreg,' meddai Branwen, fel petai'n gallu darllen fy meddwl. 'Sut? Os nad oes ots gynnoch chi i mi ofyn...'

'Mi ymatebodd Katja i bostiad gen i,' torrodd Seiriol ar draws.

'Pa fath o bostiad?' gofynnodd Branwen yn swta.

'Llun o'ch taid chi, Nain, yn Fron-goch. Gofyn wnes i oedd rhywun arall yn nabod un o'r lleill yn y llun.'

'Ac mi oedd Katja'n nabod rhywun,' meddai Branwen yn ddidaro. Dylai'r frawddeg honno fod wedi bod yn gwestiwn, ond roedd yn swnio'n llawer mwy fel datganiad.

'Oedd,' atebodd Seiriol.

'Pwy, os ga' i ofyn?' holodd Branwen, gan droi ataf i.

'Fy hen, hen dad-cu. Roedd e'n garcharor rhyfel yn Fron-goch.'

Syfrdanwyd Mabli yn ogystal â'i thad gan y sylw hwnnw, doedd dim amheuaeth am hynny.

'Iesgob,' ebychodd Mabli, 'anhygoel!'

Ond edrychai Branwen fel petai'n cnoi lemwn.

'Wel,' meddai'n sur o'r diwedd, 'gobeithio na fydd Glain yn cael clywed dy fod ti wedi bod yn gwahodd merched diarth i frecwast, Seiriol!'

'Nain!' ebychodd Mabli.

'Peidiwch â chymryd sylw ohoni,' mynnodd Dafydd. 'Mae hi'n medru bod yn eitha oriog weithia.'

'A phwy ydy *hi*?' gofynnodd Branwen yn swta wrth droi at ei mab.

Roeddwn yn sicr na fyddai Branwen wedi fy ngwahodd i fynd i gig Gwyneth Glyn gyda hi petai'n ymwybodol o'r llun bryd hynny. Ond pam?

Pennod 15

15:39, brynhawn Sul, 4ydd Awst 2019.

Tŷ Gwerin, Maes yr Eisteddfod Genedlaethol, Llanrwst.

Syllais i fyny ar nenfwd uchel, golau'r Tŷ Gwerin. Roedd pelydrau'r haul yn treiddio drwy'r canfas gan wneud iddo edrych fel llong ofod. Dechreuais ystyried pa mor gyfforddus fyddai eistedd am gyfnod estynedig ar un o'r meinciau pren di-gefn, yn enwedig i Branwen a Mair o gofio'u hoed. Wedi'r cwbl, roeddwn eisoes yn dechrau teimlo ychydig o boen yn fy nghefn, a finnau yn llai na hanner eu hoed.

Roedd y cerddorion a oedd i fod i'n diddanu ni ymhen pum munud, Gwyneth Glyn, Twm Morys a'r athrylith o feiolinydd, Patrick Rimes, yn tiwnio'u hofferynnau a chynnal profion sain ar y llwyfan.

'Da 'de?' gofynnodd Mair wrth bwyso dros Branwen a oedd rhyngom ar ben y drydedd res o feinciau.

'Dwi'n methu aros!' atebais.

'A deud y gwir,' meddai Branwen wrth godi ar ei thraed, 'mae hynny'n wir amdana i hefyd. Esgusodwch fi, Katja, rhaid i mi fynd i'r tŷ bach cyn iddyn nhw ddechrau go iawn.'

'Wrth gwrs.'

Codais a chamu o'r neilltu er mwyn i Branwen allu fy mhasio, ac wedi i mi eistedd yn ôl i lawr wrth ochr Mair, gosodais fy mag cefn ar ben y fainc i gadw'r lle.

'Mae wir yn braf dy gyfarfod di, Katja.'

Nid dyna'r tro cyntaf i Mair ddweud hynny, er mai dim ond bum munud ynghynt roeddwn i wedi cwrdd â hi am y tro cyntaf. 'Almaenes go iawn sy'n siarad Cymraeg... pwy fasa'n meddwl!'

'Wel, mae 'na griw mawr ohonon ni o'r tu allan i Brydain wedi dysgu'r iaith, a dweud y gwir! Ond mae hi mor braf cwrdd â ti hefyd.'

Am ryw reswm, roedd yn naturiol i mi ei galw hi'n 'ti'. Er gwaetha'r gwahaniaeth oedran o dros hanner canrif, gallwn weld y byddai'n hawdd dod yn ffrindiau agos â Mair. Roedd eisoes yn amlwg ein bod o'r un anian, a phetai gen i'r un egni â hi pan fyddwn i'n bum deg pump, heb sôn am wyth deg pump, byddwn i'n hapus iawn.

'Mae Seiriol wedi deud wrtha i am dy waith ymchwil di... a'r ffaith i dy hen, hen daid ddŵad i nabod ei hen, hen daid o yn ystod y Rhyfel Mawr.'

'Mae'n anghredadwy, on'd yw e?'

'Ydy, yn hollol. Dyna un o rinweddau'r cyfryngau cymdeithasol, am wn i. Fasan ni byth wedi medru dychmygu rwbath tebyg pan o'n ni'n ifanc. Mae pobl yn cwyno amdanyn nhw, ond maen nhw'n wych, dwi'n meddwl!'

'Wel, maen nhw'n gallu bod, yn sicr.'

'Ydyn! Ta waeth, be ydy'r cam nesa yn dy waith ymchwil di? Be wyt ti'n ceisio'i ddarganfod?'

'Wel, ddysgais i y diwrnod o'r blaen fod fy hen, hen dad-cu yn berchen ar gyfranddaliad euraid mewn cwmni lleol a gafodd ei greu er mwyn rhedeg Chwarel y Parc yng Nghroesor.'

'Wel, wel. Wyt ti'n meddwl bod Alun wedi gweithio iddo rhwng y rhyfeloedd?'

'Gydag ef, efallai. Sai'n gwybod, a bod yn onest. Dyna beth dwi eisiau ei ganfod yn y bôn – beth oedd y cysylltiad rhwng y ddau.'

'Diddorol iawn. Ti isio gwybod be faswn i'n neud?'

'Wrth gwrs!'

'Dos i Archifdy Gwynedd – ti'n lwcus, mae'r lle ar agor ar ddyddiau Llun a Mawrth. Roedd Croesor yn nalgylch hen bapur newydd wythnosol o'r enw *Y Rhedegydd*, ac mae modd edrych ar holl hen rifynnau'r papur yno. Mi fydd 'na rwbath am y chwarel yn *Y Rhedegydd*, yn siŵr i ti.'

'Gwych! Ga' i dynnu lluniau o'r tudalennau gyda fy ffôn?'

'Na chei, yn anffodus. Maen nhw'n llym iawn ynglŷn â phetha felly. Mi fydd yn rhaid i chdi fynd ag arian parod efo chdi, er mwyn talu am gopïau... nid o rifynnau cyfan, cofia, dim ond tudalennau unigol, a'r staff sy'n gwneud y copïau i ti.'

'Yn lle mae'r Archifdy?'

'Yn Nolgellau. Mi gei di'r cyfeiriad ac ati ar y we, debyg gin i.'

'Gwych! Diolch o galon i ti!'

'Dim o gwbl... ond wrth gwrs, ti'n gwybod nad aeth petha mor dda i Alun yn y pen draw, yn dwyt?'

'Ydw.'

'Fawr o syndod mewn gwirionedd.'

'Pam hynny?'

'Wel, ddylwn i ddim deud hyn ond... wel, mi oedd Alun yn dipyn o ferchetwr yn ogystal â bod yn llofrudd a chydweithredu efo'r gelyn.'

Cyn gynted ag yr ynganodd Mair y frawddeg honno, rhoddodd ei llaw ar ei cheg. 'O, maddeua i mi,' meddai â chywilydd amlwg. 'Do'n i ddim yn meddwl...'

'Mae'n iawn. Roedd Prydain a'r Almaen yn elynion ar y pryd wedi'r cyfan.'

'Oeddan, am wn i, ond dydy deud y gair ddim yn swnio'n neis iawn.'

'Pam wyt ti o'r farn fod Alun yn dipyn o ferchetwr?' gofynnais, ond cofiais yn syth am y llun o Friedrich ac Alun yn y Müritz gyda'r merched hanner noeth.

'Wel,' meddai hi'n bwyllog, 'dwi'n cofio clywed ffrae rhwng

Alun a'i wraig unwaith, er 'mod i'n ifanc iawn ar y pryd.'

'Hen, hen fam-gu Seiriol?'

'Ia. Rhian oedd ei henw hi. Mi o'n i wedi mynd draw i'r tŷ yn Stryd Maenofferen.'

'Pryd?'

'O, mi faswn i wedi bod yn bump oed falla... felly 1939, ond doedd y Rhyfel ddim wedi dechra bryd hynny, dwi'n eitha siŵr.'

'Beth oedden nhw'n ffraeo yn ei gylch?'

'Wel, yr unig beth dwi'n ei gofio ydi bod Rhian wedi cyhuddo Alun o fynd efo dynes arall.'

'Pwy?' gofynnodd Branwen, a oedd newydd ddychwelyd o'r tŷ bach.

Ond doedd dim modd i Mair ateb, gan i Gwyneth Glyn ddechrau cyfarch y dorf drwy'r meicroffon.

'Wel, p'nawn da, bawb! Dach chi'n o lew?'

Pennod 16

22:19, nos Sul, 4ydd Awst 2019.

Ystafell 10, Gwesty Tŷ Gorsaf, Blaenau Ffestiniog.

Wrth i mi ymlacio mewn bàth poeth, persawrus yng ngolau sawl cannwyll fechan a gwawr oren goleuadau'r stryd, gadewais i fy meddwl grwydro. I gyfeiliant albwm Plu, *Tir a Golau*, myfyriais ar brofiadau, synhwyrau, golygfeydd, synau a lleisiau newydd y diwrnod a aeth heibio. Mae mynd o dan y gawod yn braf, ond dim ond yn y bàth rwyt ti'n gallu ymlacio go iawn.

Am ddiwrnod a hanner! Roedd yn rhaid i mi wrando ar Plu ar ôl clywed Gwilym Bowen Rhys yn canu Geiriau Iwan Llwyd gyda Twm Morys yn Slot Chwarter i Chwech yn y Babell Lên. Roeddwn i wedi bod yn eistedd wrth ochr y Prifeirdd Emyr Lewis ac Ifor ap Glyn a'u gwragedd yn y gynulleidfa, ond methais â magu digon o hyder i siarad â nhw am y cyfrolau o'u gwaith roeddwn i wedi'u prynu'n ddiweddar.

Buan y des i i'r casgliad fod yr ymadrodd Almaeneg *die Qual der Wahl*, sef y broblem o ormod o ddewis, yn briodol iawn ar gyfer yr Eisteddfod Genedlaethol. Gan i mi gael fy hudo gan lais Gwyneth Glyn, allwn i ddim mynd i wrando ar Glain Rhys oedd yn chwarae set ar Lwyfan y Maes ar yr un pryd. Ond llwyddais i ddal hanner cyntaf set Linda Griffiths yn y Tŷ Gwerin gyda Branwen a Mair, yn ogystal â chael llawer o hwyl gydag Amélie a Fernanda yn gwylio Elin Flur ar Lwyfan y Maes gyda'r nos, ein tair yn bloeddio canu 'mae 'na rywbeth amdanat ti...' i'n gilydd wrth ddawnsio ar y gwair.

Cefais fy neffro o'm synfyfyrio gan sŵn fy ffôn yn dirgrynu. Roedd dŵr y bàth wedi dechrau oeri p'run bynnag, felly codais ohono a lapio tywel mawr gwyn amdanaf.

Neges destun oddi wrth Seiriol oedd hi:

'Haia, Katja. Ymddiheuro ydw i, eto fyth. Mae'n wir ddrwg gen i am y bore 'ma. Mi ddylwn i fod wedi deud wrthat ti am Mam. Hefyd, mae'n ddrwg gen i glywed am dy fam di. A'r hyn ddeudodd Nain – wn i ddim be sy'n bod arni, wir. Ond fel ddeudodd Dad, paid â chymryd sylw ohoni. Gyda llaw, mi welais i chdi gynna efo dy ffrindiau, ond do'n i ddim isio tarfu ar eich hwyl chi. Gobeithio gawn ni air rywbryd fory – mi fysa'n braf dal i fyny efo'r ymchwil i hanes Alun a Friedrich.'

Teipiais ateb yn syth.

'Noswaith dda! Mae'n iawn – does dim angen ymddiheuro. Dwi wedi cael diwrnod i'r frenhines heddiw! (ydw i'n gallu dweud hynny yn Gymraeg, gyda llaw? Wn i ddim!) Dwi'n edrych ymlaen at gael sgwrs yfory hefyd.'

Roeddwn i'n ystyried gwrando ar Radio Cymru am ychydig, ond roedd neges Seiriol wedi f'atgoffa bod y gwaith diweddaru ar wefan Tŷ'r Cwmnïau i fod wedi dod i ben bellach.

Codais fy ngliniadur a'i danio. Oedd, roedd y wefan yn ôl ar-lein, felly teipiais 'Gwledd y Mynydd' a chael ateb yn syth.

GWLEDD Y MYNYDD LIMITED
00187596
Incorporated on 8 February 1920
Dissolved on 9 December 1939

Ar ôl i mi glicio ar enw'r cwmni, roedd tri dewis: 'Filing History', 'People' neu 'Charges'.

Dewisais People a chael canlyniad: '4 officers / 4 resignations'.

Doedd gen i ddim diddordeb yn enwau dau o'r pedwar, dau

o ryw gwmni o gyfrifwyr yn Lerpwl, ond roedd hi'n wefreiddiol darllen yr enwau eraill.

JONES, Alun
Role: Director (resigned)
Date of birth: 6 August 1890
Appointed on: 8 February 1920
Resigned on: 15 November 1939
Nationality: Welsh
Country of residence: Wales

VON HERTLING, Friedrich Jörg
Role: Director (resigned)
Date of birth: 27 March 1885
Appointed on: 8 February 1920
Resigned on: 15 November 1939
Nationality: German
Country of residence: Germany

Troais at 'Filing History' wedyn.

Roedd popeth yn Saesneg, wrth gwrs, a'r ddogfen gyntaf oedd y dystysgrif ymgorffori.

Certificate of Incorporation
I hereby certify that GWLEDD Y MYNYDD LIMITED is this day Incorporated under the Companies (Consolidation) Act, 1908, and that the Company is Limited.
Given under my hand at London this eighth day of February One Thousand Nine Hundred and Twenty.
Registrar of Companies.

Roedd y Memorandwm Sefydlu yno hefyd, ynghyd ag erthyglau'r cwmni a phrosbectws yn nodi i'r cwmni gael ei ffurfio er mwyn cymryd prydles Chwarel y Parc yng Nghroesor a phrynu holl beiriannau'r chwarel yn ogystal â datblygu'r eiddo ymhellach. Ymddangosai i'r cwmni lwyddo i brynu'r brydles mewn arwerthiant yn y Queen's Hotel ym Manceinion ganol mis Chwefror 1920: 'The above very extensive and valuable SLATE QUARRY, where there is a large deposit of Slate Rock, second to none in the Principality.' Y dywysogaeth? Roedd pethau wedi gwella o ran hynny, o leiaf, yn ystod y ganrif ddiwethaf.

Ar ôl hynny, ddes i o hyd i ddyroddiadau cyfrannau: cant o gyfrannau cyffredin i Alun ac, fel roeddwn i'n gwybod yn barod, un flaengyfran euraid i Friedrich. Beth oedd gwerth y flaengyfran euraid, tybed? Dychwelais at erthyglau'r cwmni i geisio canfod yr ateb.

Yn gyntaf, roedd perchennog y flaengyfran yn derbyn elw penodedig yn gyfnewid am fenthyciad diwarant o £5,000 a oedd i'w ad-dalu ar alw. Gan nad oedd gen i glem beth fyddai gwerth y swm hwnnw heddiw, ymwelais â gwefan officialdata.org – £221,624.91 oedd yr ateb. Jiw, jiw! Mae'n rhaid bod Friedrich yn gyfoethog iawn i allu rhoi benthyg swm o'r fath. Yn ogystal, petai perchennog y flaengyfran ddim yn derbyn dau randal yn olynol, a hynny'n brydlon, neu petai'r cwmni'n methdalu, byddai'n cael hawliau pleidleisio a fyddai'n fwy na hawliau pleidleisio perchnogion yr holl gyfrannau cyffredin. Mewn geiriau eraill, daliwr y flaengyfran fyddai'n rheoli'r cwmni'n llwyr yn yr achos hwnnw. Ac, yn arwyddocaol iawn, byddai'r cwmni'n methdalu'n awtomatig petai daliwr y flaengyfran yn mynnu ad-daliad o'r benthyciad a'r cwmni'n methu â chyflawni hynny o fewn wythnos.

Y ddogfen olaf cyn dod â'r cwmni i ben oedd hysbysiad ar 24ain Awst 1939 yn nodi bod y cwmni wedi methu ad-dalu'r benthyciad yn unol â galwad wnaed gan ddaliwr y flaengyfran. Mewn geiriau eraill, roedd Friedrich wedi mynnu cael ei fenthyciad yn ôl er ei bod yn amlwg nad oedd y cwmni mewn sefyllfa i'w ad-dalu.

Mawredd! Ond pam yn y byd wnaeth Friedrich hynny? Dyna roedd yn rhaid i mi geisio'i ddarganfod yn Archifdy Gwynedd fore trannoeth.

Pennod 17

14:03, brynhawn Iau, 12fed Mehefin 1930.

Golygfan y Siegessäule, Sieges Alle, Berlin, yr Almaen.

'Am olygfa odidog!' ebychodd Alun. 'Be dwi'n ei weld o fama, 'ta?'

'Wel, rhwng yr adeiladau yna,' atebais, 'dyna Afon Spree. Wedyn, i'r dde, y Reichstag... fanna, ia, yr un efo'r gromen. Adeilad Senedd yr Almaen ydy hwnna, adeilad eitha diweddar a deud y gwir. Ymhellach draw, rhwng coed Gardd yr Anifeiliaid... ia, ar ôl hynna, dyna Borth Brandenburg, sy'n llawer hŷn. Mi gafodd o'i adeiladu bron i ganrif a hanner yn ôl.'

'Ydy o'n lle o bwys?'

'Mi oedd y porth i ddinas Berlin yn arfer sefyll yno. Porth arall wnaeth ei ysbrydoli o, hyd y gwn i, sef y fynedfa goffaol i'r Acropolis yn Athens.'

'Diddorol,' meddai Alun. 'Mynedfa i'r rhodfa hir 'na ydy Porth Brandenburg, ydw i'n iawn? Yr un sy'n ymestyn i'r pellter?'

'Ia, Unter den Linden ydy ei henw hi.'

'Ac oes 'na bisgwydd ar ei hyd mewn gwirionedd?'

'Oes wir, ond tydyn nhw ddim yn rhai tal iawn. Beth bynnag, mi fyddi di'n eu gweld nhw'n ddigon buan. Weli di'r ffynnon y tu ôl i'r porth?'

'Fanna?'

'Ychydig i'r chwith... ia, fanna. A'r adeilad crand i'r chwith wedyn?'

'Gwelaf.'

'Dyna'r Adlon, y gwesty lle 'dan ni i fod i gyfarfod y Swyddog Caffael. Faint o'r gloch ydy hi gen ti, gyda llaw? Mi wnes i anghofio gwisgo fy oriawr y bore 'ma.'

'Deng munud wedi.'

'Hen bryd i ni'i throi hi. 'Dan ni ddim isio bod yn hwyr!'

Cerddodd y ddau ohonom nerth ein traed i lawr grisiau troellog y golofn fuddugoliaeth, yn brwydro'n erbyn llif o dwristiaid oedd yn dringo i fyny i'r olygfan ar ben y gofeb. O'r diwedd, daethom allan o'r tywyllwch llaith a chael ein taro gan don o wres sych, a'n dallu gan olau dwys yr haul o'r awyr las, ddigwmwl. Ar ddiwrnod fel hwn, roedd y ddinas yn lle braf i fod.

'Aros eiliad, Friedrich,' meddai Alun, 'mi wnes i anghofio tynnu lluniau i fyny'n fanna.'

'Mae'n rhy hwyr rŵan,' atebais.

'Ydi, mi wn, ond gad i mi dynnu un ohonat ti rŵan... ar gyfer prosbectws y cwmni.'

'Iawn, os wyt ti'n mynnu. Lle wyt ti isio i mi sefyll?'

'O flaen y Siegessäule. Fanna, ia.'

Gosodais fy hun yn y lle priodol nes i mi glywed clic y camera blwch anhylaw roedd Alun wedi bod yn ei gario o gwmpas drwy gydol y dydd.

'Reit. Gawn ni fynd rŵan?' gofynnais, wrth ddangos y ffordd iddo.

'Ia, awn ni.'

Ni allwn beidio â sylwi ar y ffaith nad oedd herc Alun mor amlwg ag arfer.

'Ond,' meddwn yn Almaeneg wrth i ni ddechrau brasgamu i gyfeiriad y Sieges Allee ar hyd un o lwybrau'r parc crwn oedd yn amgylchynu'r Siegessäule, 'sut mae pethau gyda Morgan y Fforman y dyddiau yma?'

'Wel,' atebodd Alun, hefyd yn Almaeneg, gyda gwên boenus, 'yr un fath ag arfer, a dweud y gwir. Rydan ni fel hen bâr priod

– ddim yn hoffi'n gilydd, yn ffraeo am yr un hen bethau drwy'r amser ac yn cwffio i gael y llaw uchaf – ond 'dan ni angen ein gilydd yn y pen draw.'

Chwarddais. 'Ond ti'n gwybod sut i'w drin o, a dyna sy'n bwysig.'

'Am wn i, i ryw raddau, ond mi fysa'n well gen i beidio. Dyna'r math o berson ydy o, yn syml. Maen nhw i gyd yr un fath... pobol sy'n meddwl lot ohonyn nhw'u hunain, hynny yw. Yn yr achos yma, 'tasa dyn yn hedfan i'r lleuad ryw ddydd, byddai ego Morgan i'w weld o fanno!'

Chwarddais eto wrth i ni droi i'r chwith i mewn i'r Charlottenburger Chaussee a gweld Porth Brandenburg o'n blaenau, a'r Quadriga ar ei ben. Roedd lliw gwyrdd Cerbyd Rhyfel y Duwiau yn creu cyferbyniad trawiadol gyda lliw glas yr awyr. Roedd ymdaith o geir yn llifo heibio i ni oddi wrth y porth rhodresgar i gyfeiriad Charlottenburg.

'A'r peth efo ego fel'na,' aeth Alun yn ei flaen wrth gynhesu i'w Almaeneg, 'ydy ei fod o wastad yn orsensitif. Mae'r problemau'n dechrau cyn gynted ag y bydd yn rhaid i mi ei ddisgyblu. Dwi wastad yn gorfod ei atgoffa mai fi yw'r pennaeth, nid fo.'

'Ydy o'n dal i ladd arna i i'r un graddau?'

'Dim arnat ti'n bersonol, na... wel, ychydig, weithiau... ond mae o'n dal i ladd ar Almaenwyr yn gyffredinol.'

'O, wel...'

'Ond mae pethau'n mynd yn anoddach y dyddiau yma, yn tydyn?' gofynnodd Alun.

'Yn economaidd ti'n feddwl?'

Nodiodd Alun ei ben.

'Ydyn, maen nhw,' atebais.

Roeddwn wedi bod yn poeni dipyn yn ddiweddar am y dirwasgiad enfawr oedd yn prysur ddatblygu, yn sgil Cwymp Wall Street yn bennaf. Roedd o wedi bod yn taro'r farchnad doeau'n enbyd yn yr Almaen, a thros gyfandir Ewrop i gyd.

'Dwi erioed wedi gorfod hedfan o gwmpas gymaint,' eglurais, 'i ymweld â chwsmeriaid a'u hatgoffa nhw pam mae ansawdd ein cynnyrch ni'n cynnig gwell gwerth am arian na'r rwtsh rhad y mae'r Sbaenwyr yn ei wthio ar y farchnad.'

'Gobeithio y bydd pethau'n mynd yn dda i ti yn yr Eidal a Ffrainc yr wythnos nesaf,' meddai Alun.

'Ie, croesi bysedd. Diolch byth am ein cytundebau gyda llywodraeth Gweriniaeth Weimar, ddyweda i!'

'Ond pa mor hir fydd hi'n para? Y llywodraeth, hynny yw. Beth am ganlyniad yr etholiad y diwrnod o'r blaen?'

'Llywodraeth Talaith Sacsoni?'

'Yn union. Ai Plaid y Sosialwyr Cenedlaethol ydy'r ail blaid bellach?'

'Sosialwyr! Dyna un dda! Ond dwi *yn* poeni am y Natsïaid, rhaid dweud. Mae ganddyn nhw weinidog yn Llywodraeth Talaith Thüringen ers mis Ionawr – oeddet ti'n gwybod hynna?'

'Na.'

'Mae eu seren ar gynnydd, heb os, yn enwedig o ystyried y sefyllfa economaidd.'

'I ba raddau?'

'Wel, maen nhw'n cynnig atebion syml i bopeth, tydyn? Heb unrhyw dystiolaeth, wrth gwrs, a tydy'r gwirionedd ddim o bwys iddyn nhw o gwbl. Ond mae cymaint o bobl yn ysu am i'w gwleidyddion raffu celwyddau iddyn nhw... fel tasen nhw'n blant eisiau stori tylwyth teg amser gwely. Does dim rhaid iddi fod yn wir.'

Roeddem wedi cyrraedd Porth Brandenburg bellach, ac yn cerdded dan gysgod rhwng dau biler neo-glasurol anferth wrth i yrrwr bws pen agored ganu'i gorn yn flin ar seiclwr oedd newydd groesi'r ffordd heb rybudd.

'Beth am y Canghellor newydd, Brüning?'

'Wel, dydy deallusrwydd ddim yn broblem iddo. Mae ganddo ddoethuriaeth hefyd.'

'Wir? Ym mha bwnc?'

'Goblygiadau gwladoli'r system reilffyrdd ym Mhrydain, creda neu beidio.'

'Argol, mae'n rhaid bod yn amheus o rywun sy'n fodlon treulio pedair blynedd yn astudio pwnc mor anniddorol!'

Chwarddais. 'Siŵr o fod! Ond ia, efallai y byddai'n well petai o wedi sticio at wladoli system reilffyrdd gwlad arall... efallai y bysa fo wedi gwneud llai o lanast o hynny.'

'Ydy o wedi gwneud llanast felly?'

'O, do, llanast llwyr. Mae o wrthi'n gwneud diweithdra cymaint yn waeth drwy leihau cyflogau, a thynhau credyd i bawb – busnesau a phobl gyffredin.'

'Twpsyn.'

'Ie, ond mae ei ddwylo wedi'u clymu i ryw raddau, i fod yn deg â fo, achos bod ei lywodraeth yn glymblaid. Fel y dywedais i gynnau, mae seren y Natsïaid ar gynnydd.'

'Ond beth os ydyn nhw'n dod i rym? Beth fysa hynny'n ei olygu i ni? I'n cwmni ni?'

'Byddai'n rhaid i ni barhau i wneud yr un peth â 'dan ni'n ei wneud rŵan – cynffonna ar y llywodraeth, pa un bynnag fydd honno. Gwneud beth bynnag sydd ei angen i oroesi. Dyna'r allwedd i bopeth. Dyma ni, gyda llaw... dyna Westy Adlon yn fanna.'

'Rargian,' ebychodd Alun cyn i ni groesi Unter den Linden yn ofalus trwy'r llif diddiwedd o geir, 'am adeilad crand!'

'Wel, dyna sut mae gwneud argraff ar Swyddogion Caffael unrhyw lywodraeth, ti'n gwybod... yn ogystal ag iro'u dwylo nhw!'

Pennod 18

Archifdy Meirionnydd, Ffordd y Bala, Dolgellau.

Gwyddwn fod yr Archifdy yn agor am hanner awr wedi naw, ac roeddwn yn cyrraedd y maes parcio funud cyn hynny, rhag gwastraffu eiliad. Roedd tipyn o frys – fy ngobaith oedd cyrraedd Maes yr Eisteddfod mewn pryd i weld sesiwn Awdur y Dydd am hanner awr wedi un gyda'm hoff fardd, Prifardd mewn gwirionedd, Aneirin Karadog, a oedd yn lansio cyfrol newydd o gerddi.

Roeddwn wedi dychmygu y byddai'r archifdy yn Nolgellau'i hun, ac yn adeilad hardd ei bensaernïaeth (neu'n llawn cymeriad, o leiaf), ond roeddwn yn gwbl anghywir: rhan o adeilad Cyngor un llawr oedd e, wedi'i godi o gwmpas y 1960au mewn ardal dawel a deiliog ger stad fach o dai ger yr A470. Casglais fy mag cefn a ffeil felen o sedd gefn y car ac anelu'n bwrpasol at brif fynediad yr adeilad cyn sylweddoli mai dim ond mynediad y llyfrgell oedd hwnnw. Dilynais griw o weithwyr mewn siacedi melyn llachar, ac o'r diwedd, fe ddes i o hyd i fynediad yr archifdy yng nghefn yr adeilad.

Canais y gloch, ac mewn dim o dro daeth dynes ganol oed, bengoch i agor y drws i mi.

'Bore da,' meddai'n siriol.

'Bore da. Hoffwn i ddarllen rhai rhifynnau o bapur *Y Rhedegydd* os ga' i, a gwneud ambell gopi hefyd. Oes modd gwneud hynny?'

'Oes, tad. Mae'r *Rhedegydd* ar gael hyd at 1950.'

'Ardderchog! Dwi angen canolbwyntio ar 1920 a 1939.'

'Dim problem. Dewch i mewn.'

Cerddodd y ddwy ohonom ar hyd coridor i ystafell wag gyda theils carped glas, waliau gwynion a byrddau pren golau. Manteisiais ar y cyfle i ymweld â'r tŷ bach tra oedd y ddynes yn mynd i estyn y papurau i mi, ac erbyn i mi ddychwelyd, roedd dwy gyfrol las drwchus wedi'u gosod ar y bwrdd: y naill ar gyfer 1920 a'r llall ar gyfer 1939.

Roedd hi'n gwneud synnwyr i mi gychwyn gyda'r rhifynnau o 1920, ac agorais y clawr er mwyn bodio drwy'r hen ddudalennau brau. Sylweddolais yn fuan fod gwaith mawr o'm blaen gan na wyddwn am beth, yn union, roeddwn i'n chwilio, nac ym mha fis. Hefyd, gwyddwn na fyddai gen i ddigon o amser i edrych yn fanwl ar holl rifynnau'r flwyddyn honno i chwilio am erthyglau am bryniant prydles Chwarel y Parc gan gwmni Gwledd y Mynydd.

Agorais y gyfrol ar hap a tharo ar rifyn dydd Sadwrn, 15fed Mai, 1920. O dan deitl y papur roedd y geiriau 'Newyddiadur Meirion, Arfon a Dinbych. Prif gyfrwng y Cylch i bob math o Hysbysiadau.'

Ac, yn wir, roedd myrdd o hysbysiadau... a hysbysebion. Tynnwyd fy llygad at hysbysiad gan Chwarelau Oakeley oedd yn rhybuddio rhieni'r cylch y byddai tresbaswyr yn cael eu herlyn o ganlyniad i achosion diweddar o ladrata a difrodi. Roedd hysbyseb yn yr un rhifyn yn addo 'danedd celfyddydol', beth bynnag oedd y rheiny, ac yn rhifyn y 10fed o Orffennaf roedd hysbyseb Saesneg yn galw am 'A good Pianoforte Player (Lady or Gent) to play at the Empire First class Picture Palace, Blaenau Festiniog'. Tybed lle oedd y *picture palace*, myfyriais. Ond er mor ddifyr y cynnwys, dechreuais deimlo fy mod yn gwastraffu amser – doeddwn i ddim wedi gweld yr enw 'Croesor' unwaith.

Roeddwn i ar fin troi at un o staff yr Archifdy am help pan sylwais ar rywbeth yn rhifyn y 7fed o Awst, 1920. Ar y clawr roedd hysbyseb am dai ar werth ac yn eu plith roedd Carn Uchaf, Stryd Maenofferen, tŷ teulu Seiriol. Tybed a brynodd Alun y tŷ yn y flwyddyn honno? Ond sut fyddai e wedi'i fforddio mor gynnar ar ôl diwedd y Rhyfel Mawr?

Cododd fy nghalon wrth i mi weld enw Croesor am y tro cyntaf mewn adroddiad am ddamwain – roeddwn ar y trywydd iawn, o leiaf. Ac eto, er bod pob rhifyn o'r papur wythnosol yn drysor hanesyddol, roeddwn i'n dal i fethu â chanfod unrhyw beth perthnasol. Edrychais ar fy oriawr a chael tipyn o sioc o weld ei bod hi'n tynnu at hanner awr wedi un ar ddeg – byddai'r archifdy'n cau am ginio ymhen yr awr.

Roeddwn ar fin rhoi'r gorau iddi pan welais rybudd bychan ar dudalen pump rhifyn y 13eg o Fawrth 1920:

CROESOR
Dymunir drwy hyn roddi Rhybudd y caiff chwarel Ceunant Parc ei gweithio gan gwmni newydd Gwledd y Mynydd Limited gan ddechrau ddydd Llun Mawrth 22.

Dyna fe, ac eto doedd e ddim yn hanner digon. Gan geisio cuddio fy siom, cerddais at y ddesg ger y fynedfa, lle roedd y ddwy aelod o staff yn sgwrsio'n dawel – yn y Gymraeg, fel pawb arall roeddwn wedi dod ar eu traws y bore hwnnw.

'Esgusodwch fi. Ga' i ofyn rhywbeth i chi?' gofynnais.

'Wrth gwrs,' atebodd un ohonynt gyda gwên.

'Dwi wedi dod o hyd i gyfeiriad byr at y ffaith i Chwarel y Parc yng Nghroesor newid dwylo ym 1920, ond does dim manylion o unrhyw fath. Oes ffordd o ddarganfod mwy o gofnodion am y peth?'

Y fenyw arall atebodd fy nghwestiwn i. 'Wel, mae ganddon ni ffeil yn llawn o ddogfennau sy'n ymwneud â Llanfrothen a

Chroesor yn fan hyn,' meddai gan gamu i gyfeiriad cwpwrdd llyfrau yng nghefn yr ystafell. Dilynais hi gyda chymysgedd o obaith ac anobaith. 'Dyma chi.'

'O, diolch yn fawr,' atebais, gan ruthro'n ôl at fy mwrdd i ysbeilio cynnwys y ffeil ddu. Roedd ynddi lwyth o gopïau o ddogfennau cyfreithiol o'r bedwaredd ganrif ar bymtheg, yn cynnwys trwyddedau i chwilio am lechi a mwynau, yn ogystal ag erthygl hynod o ddiddorol o rifyn y 6ed o Dachwedd 1958 o'r *Cymro* ynglŷn â hunangofiant un o'r chwarelwyr a fu'n gweithio yn Chwarel y Parc yn ystod dau ddegawd cyntaf yr ugeinfed ganrif. Yn ôl yr erthygl, roedd rheolwr y chwarel ar y pryd, Moses Kellow, Sais o Gernyw, yn arloeswr, yn fasnachwr, yn fathemategwr, yn ddaearegwr, yn beiriannydd ac yn drydanwr. Roedd ganddo lu o gwsmeriaid i'w lechi ym Mhrydain... a'r Almaen. Dyna wefreiddiol! Disgrifiai'r erthygl hefyd natur ddiwylliedig y chwarelwyr, oedd yn ddeallus ac yn darllen yn eang. Ac yn ôl y sôn, roedd yn eu plith rai a allai areithio ar bynciau gwleidyddol cystal ag unrhyw Aelod Seneddol.

Ar ôl ychydig mwy o chwilota, tarais ar rywbeth mwy gwefreiddiol byth: copi o erthygl Saesneg a gyhoeddwyd yng nghyfnodolyn *The Journal of the Meirioneth Historical and Record Society*. Crynodeb o hanes Chwarel y Parc oedd ynddi, o ganol y bedwaredd ganrif ar bymtheg tan ddechrau'r Ail Ryfel Byd. Cyflymodd fy nghalon – dyma'r Greal Sanctaidd roeddwn wedi bod yn chwilio amdano.

Yn yr erthygl, esboniwyd tarddiad y llechfaen drwy'r milenia, a sut roedd y gwythiennau llechi'n cael eu croesi gan wythiennau cwarts yn ogystal â bandiau siert, oedd yn gwneud y gwaith o gloddio'r llechi'n galed a thrafferthus. Roedd yn rhaid mentro a chloddio ar hap, ac ni chafodd y cwmni oedd yn rhedeg y chwarel, The Croesor United Slate Company Limited, unrhyw lwc yno yn ail hanner y bedwaredd ganrif ar bymtheg. Dyna fu'n gyfrifol am eu methiant, ac ar ôl hynny yr ymddangosodd Moses Kellow, oedd yn llanc ugain oed yn 1882, i fanteisio ar y cyfle i chwyldroi'r chwarel a'i gwneud yn broffidiol. Manteisiodd Kellow ar yr holl geuffyrdd roedd y cwmni blaenorol wedi'u cloddio, a chyflwynodd ddatrysiadau peirianyddol a ffordd newydd o weithio, i wneud Chwarel y Parc yn llwyddiant.

Heblaw am y Rhyfel Mawr byddai'r chwarel wedi parhau'n llewyrchus, siŵr o fod, ond syrthiodd yn ysglyfaeth i'r rhyfel yn y pen draw oherwydd iddi'i hamddifadu o'i marchnadoedd, yn enwedig ei phrif farchnad allforio: yr Almaen. Rhoddwyd y gorau i gynhyrchu cribau to cyn diwedd y rhyfel, ac roedd y chwarel ar fin cau am byth pan gafodd ei hachub yn 1920 gan gwmni lleol newydd ag enw hynod o anarferol: Gwledd y Mynydd Limited. Roedd si ar led mai buddsoddwr o'r Almaen o'r enw Friedrich von Hertling, a oedd yn gyfranddaliwr yn y cwmni, yn Gymrugarwr ac yn dysgu'r iaith Gymraeg, oedd wedi dewis yr enw. Nodwyd hefyd bod cryn dipyn o ddrwgdeimlad yn y gymuned leol yn erbyn y cwmni ar y pryd oherwydd y cysylltiad â'r Jyrmans bondigrybwyll, ac eto roedd gan von Hertling yr hyn roedd Kellow wedi bod hebddo ers cychwyn y Rhyfel Mawr: mynediad i farchnadoedd allforio, yn enwedig yn yr Almaen. Diolch i gysylltiadau a chyfoeth von Hertling, fe lwyddodd y cwmni, er nad oedd sylw'n cael ei roi i'r ffactorau hynny ar y pryd rhag ofn i chwarelwyr gael eu dychryn rhag gweithio yn y chwarel. Dan stiwardiaeth Alun Jones, a weithiodd fel rheolwr lleol am bron i ugain mlynedd wrth i von Hertling aros yn yr Almaen, cynhaliwyd Chwarel y Parc tan ddechrau'r Ail Ryfel Byd – dyna arweiniodd at ei thranc terfynol. Y tro yng nghwt y stori, yn ôl yr erthygl, oedd i'r rheolwr *iniquitous* hwnnw gael ei ddienyddio'n fuan wedyn am ddwy drosedd benodol, ond bod y gymuned leol yn credu mai dim ond crafu'r wyneb oedd y cyhuddiadau hynny.

Allwn i ddim aros i ddweud wrth Seiriol beth ro'n i wedi'i

ddarganfod... wel, popeth ar wahân i'r cyfeiriad angharedig at ei hen, hen dad-cu efallai, er ei fod yn ymwybodol eisoes mai llofrudd oedd e.

Pennod 19

Y tu allan i'r Babell Lên, Maes yr Eisteddfod, Llanrwst.

Rhuthrais o Archifdy Gwynedd, fy ffeil felen yn orlawn o'r copïau maint A3 roedd y staff wedi'u gwneud i mi o'r dogfennau perthnasol. Dylwn fod wedi rhag-weld y byddai'n cymryd mwy nag awr i mi gyrraedd Maes yr Eisteddfod, a faint o amser oedd ei angen i gerdded o'r maes parcio glas ar ochr arall yr A470. Roeddwn i'n llawer rhy hwyr i weld Aneirin Karadog yn y Babell Lên, a chan nad oeddwn wedi bwyta drwy'r dydd, brysiais i stondin No Bones Jones yn y Pentref Bwyd i lowcio tamaid sydyn. Roeddwn ar gyrion y Babell Lên pan glywais lais cyfarwydd Mair y tu ôl i mi.

'Katja! Welais i mohonat ti yn lansiad *Llafargan*.'

Troais rownd a'i gweld hi a Branwen yn sefyll ar y rhodfa.

'O, helô! Na, mi wnes i smonach o f'amseru, yn anffodus, drwy aros yn rhy hir yn yr archifdy.'

'O, mi est ti, 'lly?'

'Do, roedd pethau difyr iawn yno, fel soniaist ti.'

'Be ddeudist ti wrthi?' holodd Branwen ei chyfaill yn swta.

'Dim ond mai fanno oedd y lle gorau i Katja ganfod manylion am bryniant Chwarel y Parc.'

'Pam ei bod hi isio gwybod am hynny?' gofynnodd Branwen gan f'anwybyddu i yn llwyr.

'Mi oedd gan hen, hen daid Katja gyfranddaliad yn y cwmni

hwnnw brynodd y chwarel... be oedd ei enw fo eto?'

'Gwledd y Mynydd,' atebais.

'Dyna chdi. Gest ti unrhyw lwc?'

'Do a naddo. Wn i ddim am brynu, ond roedd 'na brydles, neu drwydded, efallai, ond...' oedais yn ddramatig, 'mae gen i dystiolaeth bellach i'r cwmni gymryd rheolaeth o'r chwarel fis Mawrth 1920. Mae fy hen, hen dad-cu'n cael ei enwi fel buddsoddwr – yn ôl un erthygl, y ffaith honno a'i gwnaeth hi'n haws i'r cwmni gael mynediad i farchnadoedd allforio yn yr Almaen. Dyna gadwodd y chwarel i fynd tan ddechrau'r Ail Ryfel Byd.'

'Mam bach!' ebychodd Mair. 'Dim rhyfedd i ti fethu'r lansiad! Rhaid dy fod ti wedi gweithio fel slecs bore 'ma!'

'Fedrwn ni ddim sefyll o gwmpas yn fama drwy'r dydd,' brathodd Branwen ar ei hen ffrind. ''Dan ni ar ffordd pobol.'

'Wel, awn ni am banad i Platiad Bach, 'ta. Ti'n dŵad, Katja?'

'Byddai hynny'n wych. Mae syched enfawr arna i.'

Dim ond gwaith dwy funud o gerdded dros y gwair o'r Babell Lên oedd y caffi, ac yn lwcus iawn roedd bwrdd ar gael y tu allan yn yr haul.

'Eisteddwch i lawr,' meddai Branwen. 'A' i i mewn i archebu. Dau de, genod?'

'Dyna chdi, ia. Dala i tro nesa,' oedd ateb Mair.

'Diolch o galon i chi!' meddwn.

Ar ôl i Branwen fynd, troais at Mair. 'Rhag ofn i mi anghofio, mae gen i rywbeth a allai fod o ddiddordeb i ti.'

'W, cyffrous!'

Tynnais fy ffôn o boced fy sgert ddenim fer a dangos y llun o Friedrich yn sefyll o flaen y Siegessäule iddi hi. Roeddwn wedi gadael y llun gwreiddiol yn fy ystafell yn y gwesty.

'Pwy ydy hwnna? Am bishyn! Seren ffilm ydy o?'

'Na, Friedrich... fy hen, hen dad-cu.'

'Wel wir! Pryd dynnwyd y llun?'

'1930.'

'Iesgob...' meddai hi, cyn distewi am funud dda mewn myfyrdod. 'Wyddost ti be?' meddai o'r diwedd, 'mae'r llun 'na wedi f'atgoffa i o rwbath. Fis Mawrth 1920 y dechreuodd y cwmni 'na redeg Chwarel y Parc, ddeudist ti, 'de?'

'Ie, yn ôl *Y Rhedegydd*.'

'Mae hynny'n canu cloch.' Tawelodd Mair eto, fel petai'n ymbalfalu ym mherfeddion ei chof am ddarn o wybodaeth. O'r diwedd, rhoddodd ebychiad cynhyrfus. 'Dyna chdi! Dwi'n cofio rŵan! Dwi'n cofio Nain yn sôn am Almaenwr rhyfedd, golygus ddaeth i Riwbryfdir yn annisgwyl un diwrnod, chydig ar ôl diwedd y Rhyfel Mawr. Mi gnociodd o ar ddrws ffrynt y teulu Jones: Rhian ac Alun, nain a thaid Branwen. Mi oedd ein neiniau ni'n ffrindia gora, wyddost ti.'

'Alun? Yr un Alun?'

'Yr un Alun, ia! Rhian atebodd y drws. Wel, mi fedri di ddychmygu'r olygfa, ma' siŵr. Ar ôl blynyddoedd o frwydro'n erbyn y Jyrmans – dyna oedd pawb yn 'u galw nhw bryd hynny, gyda llaw...'

'Mi wn i, peidiwch â phoeni.'

'Wel ia, a'r ffaith i'r dre golli dros dri chant o'i hogia yn y rhyfel, dyma hi'n gweld Almaenwr yn sefyll ar garreg ei drws heb gymaint ag "os gwelwch yn dda"!'

'Beth ddigwyddodd?' Prin fy mod i'n gallu ymatal rhag bloeddio'r cwestiwn, roeddwn wedi cynhyrfu gymaint.

'Mi oedd y dyn yn gwrtais iawn, yn ôl y sôn. Ia, mi oedd o'n olygus, ac wedi'i wisgo'n smart hefyd... fel yn y llun 'na, am wn i. Dyna sut yn union ro'n i wedi'i ddychmygu o, a deud y gwir. Argol, mae'r atgofion yn llifo'n ôl rŵan! Rwbath arall dwi'n cofio Nain yn 'i ddeud oedd bod ganddo Gymraeg perffaith – fel chdi!'

'O... diolch.'

'Mi wnaeth Rhian gymryd yn ei erbyn o'n ofnadwy. Mi oedd hi'n ei gasáu o â chas perffaith o'r cychwyn cynta.'

'Oherwydd ei fod e'n Almaenwr?'

'Hynny hefyd, ond mi oedd 'na rwbath arall, mae'n debyg. Wn i ddim be. Rhy olygus, ella? Chofia i ddim rŵan. Beth bynnag, dim ond atgofion ail-law merch fach ydy'r rhain, cofia. Doedd Alun ddim adra ar y pryd... yn y chwarel, ma' siŵr. Dyna pam roeddan nhw'n byw yn Rhiwbryfdir, i fod yn agos at chwarel Llechwedd.'

'O... sut wyt ti'n gwybod nad oedd Alun gartref?'

'Wel, dwi ddim yn gwybod i sicrwydd, wrth gwrs. Dyna be dwi'n drio'i esbonio... ond mi oedd y tŷ'n fach iawn, ac mi fasa Alun yn siŵr o fod wedi dŵad at y drws tasa fo yno. Ond mi wnaeth Rhian holi'r dyn yn dwll, dwi'n cofio Nain yn deud. Sut oedd o'n nabod ei gŵr hi? Be oedd o isio efo fo, ac ati.'

'Beth *oedd* e eisiau?'

'Mi ddeudodd o ei fod o isio ad-dalu cymwynas neu rwbath, ar ôl i Alun ddysgu Cymraeg iddo fo mewn gwersyll yn rwla.'

'Fron-goch?'

'Dyna chdi! Ma' raid bod Alun wedi dŵad yn ôl wedyn, achos dwi'n cofio Nain yn deud bod yr Almaenwr wedi mynd ag o am beint. Does gan neb ddim syniad be drafodwyd, ond, erbyn i Alun ddychwelyd i'r tŷ, mi oedd bob dim wedi'i drefnu, oedd yn ddigon i godi cyfog ar Rhian.'

'Beth oedd wedi'i drefnu?'

'Mi ddechreuodd Alun weithio fel rheolwr yn Chwarel y Parc ar ôl hynny. Rhaid bod y tâl yn llawer uwch nag yn Llechwedd achos mi symudodd y teulu i'r tŷ yn Stryd Maenofferen wedyn.'

'Wir? O, anghofiais i ddweud!'

'Deud be?'

Tyrchais am y copi priodol yn fy ffeil felen a'i osod ar y bwrdd.

'Drycha ar restr y tai ar werth fis Awst 1920. Ti'n gweld?'

'Carn Uchaf, Stryd Maenofferen... iesgob!' ebychodd Mair. 'Ti wir wedi gwneud yn dda bore 'ma. Mae'r cof yn beth anhygoel, tydy? Doedd gen i ddim cof o hyn nes i chdi ddangos y llun 'na i mi. Ella na faswn i byth wedi cofio heb 'i weld o. Rhyfedd, 'de?'

'Be sy'n rhyfedd?' gofynnodd Branwen a oedd newydd ddychwelyd gyda thair cwpanaid o de ar hambwrdd plastig.

'O, dim byd. Mi ddeuda i wrthat ti yn y munud.'

Pennod 20

Tŷ Gwerin, Maes yr Eisteddfod Genedlaethol, Llanrwst.

'Wnest ti fwynhau?' holodd Seiriol, a safai wrth fy ochr ar fainc bren tuag at gefn y Tŷ Gwerin.

'Do! Mae Siân James yn wych. Steve Eaves nesaf!'

'Mae dy frwdfrydedd di'n chwa o awyr iach. Ond mi oedd yn anodd i mi ganolbwyntio ar y gerddoriaeth a deud y gwir.'

'Pam hynny?'

'Achos 'mod i'n meddwl am yr hyn roeddet ti'n sôn amdano fo'n gynharach.'

'Beth?'

'Alun a Friedrich. Mae'n anhygoel be lwyddaist ti i'w ddarganfod mewn amser mor fyr.'

'Wel, dim ond taflu golwg newydd ar bethau ydw i!'

'Dwi'n hoffi hynna amdanat ti.'

'Beth?'

'Y ffaith nad wyt ti'n derbyn clod am betha.'

'Ond wnes i ddim byd... llygad dieithryn sydd gen i, dyna i gyd.'

'Wel, dyma be dwi'n feddwl, beth bynnag. Mae'r ddau'n cyfarfod ei gilydd ar hap mewn gwersyll rhyfel. Gelynion ydyn nhw yn y bôn, ond mae Alun, sydd bum mlynedd yn iau ac yn warchodwr, yn dysgu Cymraeg i Friedrich, sy'n garcharor, nes iddo ddod yn rhugl.'

'Wel, mae'n annhegybol y byddai e wedi dod yn rhugl o fewn blwyddyn, on'd yw hi? Cafodd yr Almaenwyr eu symud er mwyn gwneud lle i'r Gwyddelod ar ôl blwyddyn, cofia.'

'Gwir, ond mae'n amlwg bod Alun wedi gosod y llwybr i Friedrich a arweiniodd at iddo ddod yn rhugl yn yr iaith.'

'Cytuno.'

'Wedyn, er nad oes gynnon ni ddim clem sut, mae'r ddau'n llwyddo i gadw mewn cysylltiad trwy gydol gweddill y Rhyfel.'

'Dim o reidrwydd. Mae'n llawer mwy tebygol i'r cysylltiad gael ei dorri'n llwyr ar ôl i'r Almaenwyr gael eu symud o Frongoch.'

'Ond mae Friedrich yn landio ar garreg ddrws Alun bedair blynedd yn ddiweddarach,' meddai Seiriol.

'Ydy, mae e, ond does dim awgrym o unrhyw ohebiaeth rhwng y ddau yn y cyfamser, ac mae'r ymweliad yn swnio fel un hollol ddigymell i mi. Ella y digwyddodd Alun grybwyll cyfeiriad ei dŷ yn Rhiwbryfdir yn ystod gwers Gymraeg yn y gwersyll – gallai Friedrich fod wedi cofio hynny, neu wneud nodyn ohono.'

'O bosib, am wn i. Ond fasa Friedrich wedi teithio'r holl ffordd o'r Almaen ar hap?'

'Mae'n bosib iddo fod ar wyliau yng Nghymru beth bynnag... yn yr ardal, hyd yn oed.'

'Ar wyliau yn Blaena? Oedd pobol yn teithio felly bryd hynny?'

'Pam lai? Ta waeth, yng Nghymru oedd e, yn sicr. Allai e ddim fod wedi ymarfer ei iaith newydd yn unrhywle arall, wedi'r cyfan.'

'Ar wahân i'r Wladfa!'

'Wel, o fewn rheswm,' meddwn.

'Ond wedyn, fasa Friedrich wir wedi bod yn barod i fuddsoddi swm sy'n cyfateb i chwarter miliwn o bunnoedd heddiw, dim ond oherwydd bod Alun wedi dysgu Cymraeg iddo fo? Buddsoddi mewn menter â'i llwyddiant hi'n dibynnu i raddau helaeth ar Alun? Rhywun nad oedd o'n gwybod llawer amdano fo?'

'Ti'n anghofio am y berthynas arbennig rhwng athro a dysgwr. Gallai Friedrich deimlo parch mawr tuag at ei athro, ac mae'n siŵr y byddai Alun wedi sôn am ei waith fel chwarelwr llechi yn ystod y gwersi. Cofia am yr hyn ddywedodd yr hanesydd lleol, Vivian, am y clefyd... beth oedd ei enw 'to?'

'Clefyd y Weiran Bigog.'

'Hwnna, yn union.'

'Dwi'n derbyn hynny, ond fasa parch ddim wedi bod yn ddigon, dwi'm yn meddwl.'

'Chest ti erioed hoff athro wnaeth dy ysbrydoli di, un y byddet ti wedi ymddiried ynddo'n llwyr... ar bob lefel?'

'Naddo, a deud y gwir, ond mi fedra i ddychmygu teimlo felly... tasat ti'n athrawes i mi, hynny ydy.'

'O... wel, diolch.'

'Pa ieithoedd wyt ti'n eu dysgu eto?'

'Ffrangeg, Lladin a Saesneg.'

'O, ia,' chwarddodd Seiriol. 'Yn y drefn honno?'

Chwarddais innau hefyd. 'Ie, am wn i.'

'Mi ddylet ti ddechrau dadlau efo Jacob Rhy Smyg yn Lladin ar Trydar!'

'Jacob Rees-Mogg? Ha, mae hynny wedi croesi fy meddwl o bryd i'w gilydd a dweud y gwir.'

Roedd Seiriol yn dal i wenu. 'Ond wedyn,' meddai ar ôl oedi am eiliad neu ddwy, 'ar ôl i'r ddau gydweithio'n llwyddiannus am bron i ugain mlynedd, mi aeth hi'n ddrwg rhyngddyn nhw.'

'Pam wyt ti'n dweud hynny?'

'Ar wahân i'r ffaith i Alun ladd rhywun, ti'n feddwl?' gofynnodd Seiriol yn hanner direidus.

'Ar wahân i hynny, ie. Y peth yw, 'dyn ni ddim yn gwybod a oes unrhyw gysylltiad rhwng y ddau beth.'

'Meddwl am yr hysbysiad 'na o'n i: Friedrich yn mynnu'r

holl arian yn ôl yn ddisymwth. Rhaid ei fod o'n ymwybodol nad oedd modd i'r cwmni ei ad-dalu heb fynd i'r wal.'

'Cytuno,' atebais, 'ond dyw hynny ddim yn golygu bod y ddau wedi ffraeo. Drycha, dwi wedi bod yn meddwl am hyn, yn enwedig ar ôl darllen yr erthygl 'na. Yn y lle cyntaf, pam mai dim ond blaengyfran euraid oedd gan Friedrich, o gofio mai fe wnaeth ariannu popeth?'

'Wn i ddim. Rwbath yn ymwneud â threthi yn yr Almaen... neu ym Mhrydain, ella?'

'Efallai... does dim syniad 'da fi. Ond beth os wnaethon nhw gytuno i strwythuro'r cwmni felly oherwydd agweddau pobl yma tuag at Almaenwyr? Fyddai chwarelwyr lleol wedi bod yn fodlon gweithio i Almaenwr mor fuan ar ôl y Rhyfel Mawr? Cyfeiriwyd at hynny yn yr erthygl.'

'Mmm,' cytunodd Seiriol, 'mae'n ddigon posib, am wn i. Ond os nad oedd anghydweld rhyngddyn nhw, pam mynnu'r arian yn ôl?'

'Ie, pam? Dyna'r cwestiwn!'

''Dan ni yn y niwl o hyd.'

'Ydyn, ac mae'n hen bryd i ni newid hynny. A dyna beth dwi'n bwriadu'i wneud... gan ddechrau fory.'

'Sut?'

'Nid sut, ond ble – yn ôl yn Archifdy Gwynedd!'

'O ddifri? Mi wnei di golli lot o'r Steddfod!'

'Dim o gwbl. Mae'n braf gwneud y ddau... a dwi'n cael mwynhau'r Eisteddfod nawr,' meddwn wrth edrych o gwmpas y Tŷ Gwerin. 'Dyma'r Eisteddfod, on'd ife?'

'Ia,' cytunodd Seiriol. 'Dwi wir yn falch fod ti wedi dŵad.'

'A finnau.'

Tawelodd y ddau ohonom, a chafodd fy sylw ei dynnu gan yr hyn oedd yn digwydd ar y llwyfan. Teimlais frath o genfigen wrth i Manon Steffan Ros gofleidio'i thad, Steve Eaves, yng nghefn y llwyfan. Roedd y tynerwch a'r cariad rhwng y ddau mor amlwg – rhywbeth nad oeddwn erioed wedi'i brofi gyda fy nhad fy hun, a rhywbeth na fyddwn i byth yn ei brofi chwaith. Er ein bod yn cerdded ar yr un blaned, gallai e fod wedi bod mewn galaeth wahanol. Fe fu'n hunanol a dideimlad wrth adael Mam a finnau bedair blynedd ar ddeg yn ôl, a hynny dim ond oherwydd ei fod yn ysu am fywyd mwy cynhyrfus a nwydus. Sut allai plentyn deuddeng mlwydd oed wneud synnwyr o'r weithred a'r cymhelliad? Roedd y briw yn dal i fod yr un mor agored heddiw.

Roedd y lle dan ei sang, a'r awyrgylch yn hollol wahanol i'r gigs a fynychais yn ystod y dydd y diwrnod hwnnw a'r diwrnod cynt, yn llawn bwrlwm, disgwyliad a chyffro. Doedd dim angen iâ sych na goleuadau strôb nag unrhyw gimics tebyg, a doedd dim angen i'r artistiaid wneud ymddangosiad dramatig chwaith – roedd y bandiau wedi cerdded yn hamddenol, ddi-ffwdan ar y llwyfan wrth i Seiriol a minnau siarad, ac erbyn hyn roedden nhw wrthi'n gwneud prawf sain o flaen y gynulleidfa ddisgwylgar.

Roedd Gwyn Maffia yn gwirio lefel sain ei ddrwm tannau ar gais y peiriannydd sain ifanc wrth y ddesg ar ymyl y llwyfan, a Manon yn gwirio'i meicroffon, ei gwallt coch hyfryd yn raeadr i lawr ei chefn. Ar y chwith iddi, ar flaen y llwyfan isel, roedd y dyn ei hun, Steve Eaves, yn tiwnio'i gitâr mor hamddenol â phetai yn ei ystafell fyw. Pelydrai tonnau o garisma oddi arno, ond doedd e ddim fel petai'n ymwybodol o hynny. Roeddwn i'n methu â thynnu fy llygaid oddi wrth ei wallt gwyllt a'i farf frith... efallai mi dyna sut fyddai barf Seiriol yn edrych ymhen degawd neu ddau, dychmygais.

Troais at Seiriol unwaith eto a chiledrych arno wrth iddo syllu ar y llwyfan yn ei grys du, a amlygai'i ysgwyddau llydan a'i freichiau cyhyrog, yn ogystal â'i jîns tynn o'r un lliw. Trodd Seiriol ataf gan fy nal yn sbio arno.

'Mae o'n arbennig, dydy?' gofynnodd.

'Sori?'

'Steve Eaves.'

'O ydy, heb os,' atebais. 'Dwi'n ei chael yn anodd credu 'mod i wedi gweld nid yn unig Steve ond hefyd ei ddwy ferch ar yr un llwyfan... i gyd mewn un diwrnod!'

'Wel, fel hyn fel mae hi – am wythnos bob mis Awst, o leia.'

'Ie, mae e fel rhyw fath o bwffe *all-you-can-eat*, on'd yw e? Sori, sai'n gwybod yr enw yn Gymraeg.'

'Na finna chwaith,' atebodd Seiriol gyda gwên, 'ond dwi'n cytuno. Hei, mi ddylen nhw fod wedi cychwyn bum munud yn ôl. Rhaid bod 'na ryw broblem dechnegol.'

Edrychais innau ar fy oriawr, a rhegi o dan fy ngwynt yn Almaeneg wrth i mi sylwi fy mod i angen y tŷ bach.

'Be sydd?'

'O, dim. Ti'n meddwl bod digon o amser i mi fynd i'r tŷ bach yn sydyn?'

'Katja!' meddai, yn ysgwyd ei ben yn ffug-geryddol. 'Wel, paid â bod yn hir. Gadwa i dy le di.'

'Diolch o galon!'

Heb feddwl, rhoddais fy llaw ar ei ysgwydd a chusanu'i foch wrth i mi godi o'r fainc.

Pam ddiawl wnes i hynny? Llithrais ymaith er mwyn osgoi ei ymateb i'r weithred fyrbwyll. Am chwithig! Ac a oedd Branwen neu Mair wedi sylwi?

Troais i'r dde a brasgamu yn y tywyllwch cynyddol i gyfeiriad y tai bach, oedd rhwng y Bar Syched a stondin Sain. Roeddwn newydd eistedd ar y toiled pan ddirgrynodd fy ffôn – galwad gan Silke. Ystyriais am eiliad cyn pwyso'r botwm gwyrdd.

'Cariad,' meddwn, 'gwranda, does gen i ddim llawer o amser ar hyn o bryd, sori. Dwi ar fy ffordd i berfformiad ar y Maes sydd ar gychwyn.'

'Ble wyt ti?'

'Yn y tŷ bach.'

'O, iawn. Ydy Seiriol ar y Maes 'da ti?'

'Ydy.'

'Sut mae pethau'n mynd?'

'Ym mha gyd-destun?' gofynnais yn lletchwith.

'Ym mha gyd-destun? O ran datrys dirgelwch eich cyndeidiau, wrth gwrs! Beth arall?'

Wnes i ddim ateb.

'O, na...' aeth Silke yn ei blaen, 'dywed wrtha i nad wyt ti'n ei ffansïo!'

'Wel...'

'Dyna'r peth olaf sydd ei angen arnat ti ar hyn o bryd!'

'Mi wn i, ond... wel, fydd dim yn digwydd, beth bynnag. Mae ganddo gariad.'

'Ond mae rhywbeth *wedi* digwydd yn barod. Dwi'n gallu synhwyro'r peth!'

'Na... wel, dim llawer.'

'*Beth?*'

'Dwi newydd ei gusanu ar ei foch.'

'Katja! Mae ganddo gariad, meddet ti!'

'Dwi'n gwybod.'

'Jyst bydd yn ofalus, iawn?'

'Wna i, ond gwranda, rhaid i fi fynd, o ddifri. Dwi'n siŵr bod y cyngerdd wedi cychwyn yn barod.'

'Ocê, cer. Mwynha'r cyngerdd! Wna i dy ffonio di bore fory, iawn?'

'Iawn.'

'Caru ti, Katja.'

'Caru ti hefyd.'

Pwysais y botwm coch a gorffen yn y toiled cyn rhuthro'n ôl i'r Tŷ Gwerin. Roedd torf fawr wedi ymgynnull y tu allan i wahanol ddrysau agored y Tŷ Gwerin yn y gobaith o gael mynediad hwyr i weld Steve Eaves.

Troais at y swyddog diogelwch roedd Seiriol yn ei adnabod wrth y drws priodol.

'Sori, Elfed. Dwi wedi bod yn y tŷ bach. Mae Seiriol wedi cadw sedd i mi,' meddwn yn ymbilgar wrth obeithio fy mod i wedi llwyddo i gofio'i enw.

Gallwn deimlo llygaid cyhuddgar gweddill y ciw arnaf wrth i mi gael ei ganiatâd a rhuthro drwy'r adwy.

Tra oeddwn yn camu'n ofalus rhwng y rhesi o feinciau pren, roedd Steve a Manon yn cyd-ganu cytgan y gân 'Pendramwnwgl', a daeth y tynerwch rhyngddynt â dagrau i'm llygaid. Ni allwn beidio â meddwl am Mam.

Roedd rhyw hud cynnes, rhyfedd yn y babell nad oedd yno ychydig funudau ynghynt – teimlad nad oedd modd ei ddisgrifio'n iawn. Ymdoddai llais melys Manon â llais dolurus ei thad mor berffaith, a theimlais rhyw freuder yn y gân.

Rhois fy llaw'n ysgafn ar ysgwydd Seiriol er mwyn gadael iddo wybod fy mod i'n ôl, a symudodd er mwyn gwneud lle i mi ar y fainc. Ar ôl i mi eistedd i lawr wrth ei ochr, trodd ei wyneb tuag ataf a chusanu fy moch yn dyner, yn agos at fy nghlust.

'Ti'n iawn?' sibrydodd.

'Ydw,' atebais gyda gwên ansicr.

'Dwi'n dy garu di rŵan,' canodd Steve.

Doeddwn ddim wedi sylweddoli pa mor rhamantus a barddonol oedd y gân. Ar yr un eiliad, daeth llaw Seiriol i orffwys ar f'un i. Wnes i ddim symud gewyn. Gwyddwn y dylwn deimlo'n euog neu dynnu fy llaw yn ôl, ond wnes i ddim. Doedd dim taten o ots gen i.

'Katja?' gofynnodd, gan bwyso'n agos er mwyn i mi allu'i glywed dros y gerddoriaeth.

'Ie?'

'Wyt ti wedi bwyta heno?'

'Do,' atebais, wrth feddwl am y paella llysieuol roeddwn

wedi'i lowcio oddi ar blât papur ger Llwyfan y Maes yn gynharach wrth wylio Blodau Papur.

'Finnau hefyd... sy'n bechod.'

'Pam?'

'Achos... fedra i ddim dy wahodd di am bryd o fwyd rŵan.'

'Dim problem. Fe alli di 'ngwahodd i am becyn o greision.'

Edrychais dros ei ysgwydd ar Branwen a Mair, a sylwodd Seiriol ar hynny.

'Na,' atebodd fy nghwestiwn mud, 'does dim problem – fysan nhw ddim yn meddwl ddwywaith am y peth.'

Doeddwn i ddim mor siŵr am hynny, ond i'r diawl â doethineb.

'Iawn,' meddwn, cyn iddo gael amser i newid ei feddwl. 'Pryd?'

'Cyn gynted ag y gorffenith y gân yma.'

Ar ddiwedd y gân, fe ddywedodd Seiriol rywbeth yng nghlust ei fam-gu, a ffarweliais â'r dwy ddynes gan godi fy llaw arnynt wrth i ni godi o'r fainc. Cododd Mair ei llaw hithau arnaf yn llawen, ond roedd wyneb Branwen yn rhyfedd o ddifynegiant. Cerddais yn ôl traed Seiriol wrth iddo osod cwrs am y drws. Roedd hi wedi nosi bellach, ac er bod y tywydd yn eithaf dymunol, doedd yr un seren i'w gweld yn awyr y nos. Gallem glywed Steve Eaves yn dal i ganu wrth i ni fynd rownd y gornel i gyfeiriad y brif fynedfa.

Tybed a fyddwn i'n difaru'r hyn a oedd ar fin digwydd? A phetai'n dod i hynny, beth oedd ar fin digwydd? Efallai fod Seiriol yn meddwl yr un peth – wnaeth e ddim gafael yn fy llaw y tro hwn, ac roedd distawrwydd llethol rhyngom ni. Oeddwn i wedi camddeall neu gamddarllen yr arwyddion? Roedd hi fel petai'r hud wedi'i chwalu.

Roedd adeilad y brif fynedfa ar gau, felly brasgamodd y ddau ohonom heibio i'r bysiau gwennol a chroesi'r bont gerdded dros yr A470. Parhaodd y tawelwch wrth i ni gerdded drwy'r caeau heibio i res ar ôl rhes o geir. Fi oedd yn arwain bellach, gan na wyddai Seiriol ble oedd fy nghar, a chyda pob cam roeddwn yn dyfalu a fyddai e'n ceisio fy nghusanu yn y tywyllwch... ond wnaeth e ddim.

'Gobeithio nad wyt ti'n siomedig,' meddai.

'Am beth?'

'Ein bod ni wedi gadael y gig yn gynnar.'

'Dim o gwbl. Y peth pwysig oedd cael y profiad o fod yno... profi'r awyrgylch swynol, wyddost ti?'

'Ti'n ffan o Steve Eaves? Wnest ti ddim sôn.'

'Wel, dwi ddim yn ffan go iawn, ond dim ond achos taw nid dyna fy hoff arddull o gerddoriaeth – canu gwlad, roc a blŵs ac yn y blaen. Ond dwi'n teimlo'n wahanol bellach ar ôl ei wylio'n perfformio. Ges i gipolwg ar yr hud arbennig sydd ganddo. Ond yr hyn sydd wastad wedi fy nghyfareddu i amdano yw'r ffaith mai Sais yw e yn y bôn.'

'Sais? Be ti'n feddwl?'

'Cafodd ei eni yn Stoke-on-Trent, yn do?'

'O, wn i ddim. Mi o'n i'n meddwl mai Cymro oedd o.'

'Cymro yw e, wrth gwrs. Drycha ar bopeth mae e wedi'i wneud dros y blynyddoedd i gefnogi a hyrwyddo'r iaith. Ond dyna'r pwynt diddorol, on'dife? Hunaniaeth, a beth yw e. A phwy sy'n gallu dweud pwy sy'n Gymro... neu Gymraes?'

'Os wyt ti'n teimlo fel Cymro neu Gymraes, dyna wyt ti. Dyna dwi'n feddwl.'

'Dyw hi ddim mor syml â hynny.'

'Be ydy dy hunaniaeth di, 'ta? Almaenes?'

'Sai'n siŵr mewn gwirionedd. Ewropead, byddwn i'n dweud. O, dyma fy nghar i,' meddwn wrth bwyso'r botwm bach ar yr allwedd fel bod goleuadau'r Passat i gyd yn fflachio. 'Neidia i mewn.'

Pennod 21

10:19, nos Lun, 5ed Awst 2019.

Tafarn y Manod, Stryd Fawr, Blaenau Ffestiniog.

'Dyna ti,' meddwn ar ôl dychwelyd at y bwrdd o gyfeiriad y bar, 'peint o chwerw a phecyn o greision anllysieuol.'

'Anllysieuol?'

'Rhai blas cig moch ydyn nhw...'

'Dwi ddim yn meddwl 'mod i erioed wedi clywed y gair yna o'r blaen,' meddai Seiriol gyda gwên fachgennaidd, 'ond mi gawn ni ei ddeud o o hyn ymlaen! Diolch amdanyn nhw, gyda llaw,' meddai rhwng cegeidiau. 'Ond tydy hyn ddim yn teimlo'n iawn rhywsut.'

'Beth?' Aeth gwefr drydanol drwy fy nghorff.

'Wel, dwi'n dy wahodd di am becyn o greision, ond chdi sy'n eu prynu nhw!'

'Dyna gydraddoldeb rhywiol i ti!' atebais gyda rhyddhad. 'Ond croeso!'

'Mae'n dawel yma heno,' meddai Seiriol, wrth edrych o'i gwmpas.

'Fawr o syndod ar nos Lun,' atebais, 'a dyw'r dafarn ddim ynghanol y dref... ond mae'n neis yma.'

Dim ond dau fwrdd oedd yn yr ystafell hon, y ddau wrth y ffenestr yn edrych allan ar yr A470. Taflais gipolwg ar y cwpl canol oed eithaf meddw oedd wrth y bwrdd arall, a'r pedwar dyn ar stolion uchel wrth y bar.

Fel petai e wedi'n dilyn ni o faes yr Eisteddfod, roedd cân

Steve Eaves 'Nos Da Mam' yn canu yn y cefndir, a dechreuodd y dagrau gronni eto. Dyna'r tro cyntaf i mi glywed y gân ers i Mam farw. Edrychai llygaid Seiriol yn llaith hefyd, ond ni ynganodd yr un ohonon ni air nes i'r gân ddod i ben.

'Ro'n i isio gofyn cwestiwn i chdi,' meddai Seiriol o'r diwedd.

'Ie?'

'Oes 'na rwbath yn cyfateb i "chdi" a "chi" yn Almaeneg?'

'Oes, *du* a *Sie*, ond mae'r rheolau'n wahanol iawn. Er enghraifft, ti'n galw dy dad yn "chi", on'd wyt?'

'Yndw.'

'Ond dwi... wel, doeddwn i ddim. Fyddai neb yn breuddwydio galw'u rhieni'n *Sie* – sef "chi" – yn yr Almaen.'

'O ia, wir ddrwg gen i... am dy fam.'

'Diolch, ond does dim angen i ti, o bawb... Mae'n siŵr bod pethau'n dal i fod yn amrwd i tithau hefyd. Rhywbeth arall sydd ganddon ni yn gyffredin.'

'Ma 'na restr hir.'

'Oes. Fe welais i'r calendr yn y cyntedd, gyda llaw.'

'O... efo holl nodiadau Mam ynddo fo. Tydy Dad ddim yn fodlon i neb ei symud o. Mae'n boenus gorfod ei weld o bob dydd, ond mae o'n gysur hefyd, rywsut.'

'Alla i ddychmygu.'

'Mae pawb yn deud hynna, ond yn dy achos di, dwi'n gwybod dy fod di'n deud y gwir.'

Ar ôl distawrwydd eithaf annifyr, newidodd Seiriol y pwnc.

'Sut mae dy gwrw di? Cwrw o'r Almaen ydy o?'

'Ardderchog, rhaid i mi ddweud. Ac ydy, mae e... wel, nac ydy... sai'n siŵr mewn gwirionedd.' Codais fy mhotel a darllen y label yn uchel, 'Helles Bier, Bragwyd yn Llanrwst. Felly, *Bier* ydy cwrw yn Almaeneg wrth gwrs, ac mae *helles* yn golygu golau... wel, mae *hell* yn golygu golau i fod yn fanwl gywir, ond mae *Bier* yn enw di-ryw, felly mae angen terfyniad gwahanol ar yr ansoddair.'

'Iesgob, cymhleth!'

'Dim mwy cymleth na'r Gymraeg! Ta beth, yn ôl at dy gwestiwn di, er mwyn iddo fod yn gwrw Almaenig, mae'n rhaid iddo gydymffurfio â'r *Reinheitsgebot*.'

'Be?'

'O, sut mae cyfieithu hynny? Gorchymyn Purdeb, dyna fe. Mae'n dyddio'n ôl i 1516, creda neu beidio, hyd yn oed cyn y Deddfau Uno felly. Dim ond dŵr, hopys a brag ellir ei ddefnyddio i wneud y cwrw.'

'O, do'n i ddim yn gwybod hynny,' atebodd Seiriol, wrth i mi ddwrdio fy hun yn fewnol am fod mor anniddorol. Canolbwyntiais ar fodio'r pacedi creision gwag ar y bwrdd.

'Ro'n i isio gofyn i chdi...' meddai Seiriol yn araf, 'oes 'na rywun pwysig yn dy fywyd di?'

'Rhywun pwysig?'

'Ia.'

'Cariad ti'n feddwl?'

'Ia.'

'Oedd, tan yn ddiweddar.'

'Ond ddim rŵan.'

'Na. Ro'n ni gyda'n gilydd am bum mlynedd, ond daeth popeth i ben tua phythefnos yn ôl. Roedd e wedi cael digon.'

'Digon ar y berthynas?'

'Ie.'

'Fedra i ddim dychmygu hynna.'

Teimlais ias o gynnwrf. 'Wel, sai'n gwybod am hynny.' Seibiant pellach. 'Beth amdanat ti a Glain?' gofynnais.

'O... wrth gwrs, mi wnaeth Nain sôn amdani bore ddoe dros frecwast. Mi allwn i fod wedi'i lladd hi!'

'Dyna neiniau i ti.'

'Wel, a bod yn onest, mae'r berthynas... wel, wedi'i rhewi, dyna'r disgrifiad gorau... bron i farwolaeth.'

'Bron?'

'I bob pwrpas.'

'Pam hynny?'

'Tydan ni ddim isio'r un petha bellach. 'Dan ni ddim yn coelio yn yr un petha, hyd yn oed.'

'Fel beth?'

'Fel yr iaith, yn bennaf. Dyna'r enghraifft orau, a deud y gwir. 'Dan ni wedi bod efo'n gilydd ers dyddiau ysgol, ac mi oedden ni, hyd yn oed yr adeg honno, yn arfer sôn am gael plant a gwneud yn siŵr eu bod nhw'n byw bywyd Cymraeg... yn Blaena neu gymuned Gymraeg arall, fel Caernarfon neu'r Felinheli ella, ond erbyn hyn, tydy hi ddim isio dod yn ôl i Gymru, hyd yn oed. Ond rwyt ti, ar y llaw arall, wedi dysgu'r iaith mor wych er dy fod di'n byw yn yr Almaen, ac mi wyt ti'n angerddol iawn drosti. Ti'n gwisgo crys pêl-droed Cymru hyd yn oed... sy'n dy siwtio di i'r dim gyda llaw.'

'Ble mae hi ar hyn o bryd?' gofynnais, gan anwybyddu'r ganmoliaeth er i mi gael pleser mawr ohoni – ac er fy mod yn gwybod yr ateb i'm cwestiwn fy hun ar ôl dod o hyd i dudalen Facebook Glain y noson gynt. O'r un ffynhonnell, roeddwn i'n gwybod hefyd bellach fod Seiriol ddwy flynedd yn iau na fi.

'Manceinion. Mae hi'n gweithio yno fel cyfreithwraig.'

'Diddorol. Oes gen ti lun ohoni?'

Cwestiwn diangen arall, o ystyried i mi weld dwsinau o luniau ohoni ar y we.

'Oes,' meddai Seiriol wrth bwyso dros y bwrdd a dangos sgrin ei ffôn i mi.

'Jiw, mae hi'n brydferth iawn... tenau hefyd, yn wahanol iawn i mi.' Dwi'n cyfaddef, roeddwn i'n chwilio am ganmoliaeth.

'Wel, ydy, ond dydy hi ddim mor ddel â chdi, ac a deud y gwir...'

'Beth?'

'Mae'n well gen i ferched sydd â rwbath i'w ddeud... ymysg

pethau eraill,' meddai, gan edrych i lawr ar amlinell fy mronnau o dan fy nghrys pêl-droed a chochi at ei glustiau.

'Do'n i ddim yn meddwl fod ti wedi sylwi,' meddwn gyda thinc pryfoclyd yn fy llais.

'Wrth gwrs 'mod i,' meddai'n dawel wrth edrych i lawr ar y bwrdd yn swil. 'Sut fedrai unrhyw un beidio â sylwi?'

'A ... ti'n hoffi'r hyn wyt ti'n ei weld?' Dechreuais deimlo'n llawer mwy hyderus.

Ddaeth dim ateb yn syth.

'Dwi ddim isio i ti feddwl mai dyna'r unig reswm pam 'mod i wedi bod yn breuddwydio amdanat ti ers nos Wener,' meddai o'r diwedd, a theimlais ias arall o gynnwrf. 'Ond,' aeth e yn ei flaen yn lloaidd, 'dwi'n poeni rŵan. Ydw i newydd ddifetha petha rhyngddon ni?'

Ceisiais beidio â dangos fy mod yn crynu, a bod fy nghalon yn curo'n wyllt. Llyncais y cegaid olaf o fy nghwrw. 'Wel,' meddwn mewn llais annisgwyl o gryg wrth edrych i fyw ei lygaid, 'awn ni?'

'Rŵan?'

'Pam lai.'

Cerddais yn sigledig at ddrws y dafarn, ac wrth i ni fynd allan i'r Stryd Fawr rhoddodd Seiriol ei fraich dros fy ysgwydd. Llithrais innau fy mraich fy hun am ei ganol, a'i wasgu'n dynn wrth gerdded i'r maes parcio yng nghefn y dafarn, lle roeddwn i wedi parcio. Bu'n rhaid i ni ollwng ein gilydd er mwyn cerdded i'r naill ochr a'r llall o'r car, ond unwaith i ni eistedd a chau'r drysau ar ein holau, penderfynais gymryd y cam cyntaf. Pwysais dros y lifer gêr a chusanu Seiriol yn dyner... cusan a dorrodd argae ein chwant.

Pennod 22

07:55, fore Mawrth, 6ed Awst 2019.

Ystafell 10, Gwesty Tŷ Gorsaf, Blaenau Ffestiniog.

Cefais fy rhwygo o'm cwsg gan ddirgryniad ffyrnig fy ffôn oedd ar lawr ger y gwely. Rhaid fy mod i wedi anghofio'i ddiffodd neithiwr – doedd hynny'n fawr o syndod dan yr amgylchiadau. Estynnais amdano'n drwsgl.

Silke oedd yno: synnais fy hun drwy wrthod yr alwad.

Tynnais y cwilt plu amdanaf wrth godi fy hun i eistedd yn y gwely, a bwrw golwg o gwmpas yr ystafell. Roedd popeth roeddwn yn ei wisgo'r noson cynt, i lawr i'm dillad isaf, wedi'u gwasgaru'n blith draphlith rhwng y drws a'r gwely.

Ai hwn oedd y tro cyntaf erioed i mi wrthod galwad gan fy ffrind gorau? O bosib. Ond y gwir plaen oedd nad oeddwn am ddatgelu digwyddiadau'r oriau diwethaf iddi hi – y ffaith mai dim ond dwy awr o gwsg ges i, y ffaith i Seiriol ffarwelio â mi â chusan hir ychydig cyn i'r haul godi, a'r ffaith fy mod i'n teimlo fel petawn i'n arnofio ar gwmwl. Roeddwn wedi rhannu mwy gyda Seiriol mewn un noson na'r hyn a rannais â Silke mewn dwy flynedd ar bymtheg o gyfeillgarwch.

Agorodd Seiriol ei galon i minnau hefyd. Siaradodd am farwolaeth annisgwyl ei fam, Alessandra, flwyddyn ynghynt a'i hiraeth am ei chariad, ei chwmni, ei chyfeillgarwch a'i chyngor. Roedd hi'n artist talentog oedd â phartneriaeth greadigol gyda ffrind bore oes a oedd yn awdur, a chafodd y ddwy lwyddiant mawr ar y cyd yn cyhoeddi llyfrau llun a stori i blant – llyfrau a gafodd eu cyfieithu o'r Gymraeg i sawl iaith arall. Roedd ei lygaid yn llaith wrth iddo ddweud wrthyf bod ei fam yn rhy ddiymhongar a swil i ganiatáu i unrhyw un o'i phaentiadau gael eu harddangos ar waliau'r tŷ. Soniodd hefyd am ei dad, a sut roedd yn poeni am ei iechyd meddwl ac yntau'n dal i gadw'r tŷ yn gysegrfan i'w wraig, fel petai gobaith iddi gamu dros y trothwy unrhyw funud.

Rhannodd Seiriol ei gyfrinachau ei hun yn ogystal: sut y bu iddo gael ei fwlio gan y bois caled yn yr ysgol a chael ei anwybyddu gan y merched oherwydd ei fod yn boenus o denau a dihyder, sut y bu iddo droi popeth â'i ben i waered yn bymtheg oed drwy ddechrau codi pwysau yn ei ystafell wely hyd nes iddo drawsffurfio'i gorff. Bryd hynny y gwnaeth Glain, un o'r merched mwyaf poblogaidd ac athletaidd yn Ysgol y Moelwyn, gymryd sylw ohono am y tro cyntaf.

Cyfaddefais innau fy mod i'n ymwybodol iawn o fy niffyg taldra – roeddwn i'n addoli fy nhad pan oeddwn yn blentyn, a chafodd ei ymadawiad disymwth pan oeddwn ond yn ddeuddeg oed effaith ddeifiol arnaf. Wnes i ddim tyfu centimedr arall ar ôl y digwyddiad tyngedfennol, dinistriol hwnnw, a siaradais am y ffaith fy mod i'n dal i gael pyliau o banig o'i herwydd. Dywedais wrtho am fy nghariad a'm parch at Mam a'r boen gignoeth o'i cholli, ac am y ffaith i Karsten wneud cymwynas â mi drwy ddod â'n perthynas i ben.

Ond yng ngolau caled y dydd, dechreuais ystyried teimladau Seiriol tuag ataf – ac yntau bellach wedi cael yr hyn roedd e eisiau, fyddai e'n pellhau oddi wrtha i? A beth am Glain, a'i honiad bod ei berthynas â hi fwy neu lai ar ben?

Gan nad oedd gen i ateb i'r cwestiynau hynny, penderfynais mai'r peth gorau fyddai taflu fy hun i mewn i'r diwrnod – fy niwrnod llawn olaf yng Nghymru, a diwrnod roedd yn rhaid i mi wneud defnydd da ohono.

Neidiais allan o'r gwely a chysylltu'r cortyn i fy ffôn er mwyn ei wefru, cyn tacluso'r ystafell, cael cawod sydyn a choluro fy wyneb. Gwisgais yr unig ddillad glân yn fy mag teithio: siorts denim; tiwnig wen; siaced ysgafn lwyd a threinyrs pinc golau. Byddai'n rhaid i mi wisgo dillad budron i deithio adref y diwrnod wedyn, ond doedd dim ots.

Darlun trawiadol o ddiflas oedd yn aros amdanaf pan agorais y cyrtens – awyr lwyd fygythiol a glaw yn disgyn yn ddidrugaredd. Byddai'r olygfa ddigalon wedi bod yn ddigon i ladd fy hwyl fel arfer, ond nid heddiw. Cydiais yn fy ymbarél newydd – roeddwn wedi'i phrynu ym maes awyr Frankfurt o ddarllen am anwadalrwydd tywydd Cymru, ac yn ffodus roedd yr un lliw â fy sgidiau. Glaw neu beidio, roedd yn rhaid i mi fynd allan am frecwast gan fy mod ar lwgu ar ôl noson annisgwyl o brysur. Bu Seiriol yn canmol omledau ardderchog caffi De Niro ar y Stryd Fawr, ac roeddwn yn fwy na pharod i ymddiried yn ei farn er gwaethaf enw'r caffi.

Cyn gynted ag y mentrais allan ar y Stryd Fawr, roeddwn yn gwingo dan lach y gwynt a'r glaw. Chwythwyd fy ymbarél newydd y tu chwith allan o fewn hanner munud a throdd lliw fy esgidiau o binc golau i binc tywyll yn fuan wedyn. Roedd sŵn y glaw yn atseinio oddi ar y mynyddoedd a'r tomennydd uwchben y dref, gan gymysgu â rhuo amhersain y myrdd o geir a ruthrai heibio yn llif tragwyddol. Rhedais ar draws y briffordd i gyfeiriad y caffi, gan ochrgamu ar hyd y palmant i geisio osgoi'r pyllau dŵr a'r rhaeadrau oedd yn tasgu o'r peipiau landeri bob ychydig droedfeddi.

Canodd cloch hen-ffasiwn wrth i ddynes mewn anorac wlyb domen agor drws siop wrth fy ymyl a phrysuro i mewn, a bu bron i ddyn mewn siaced felen lachar fy nharo oddi ar fy nhraed wrth ruthro heibio i mi o'i fan, oedd wedi'i pharcio ar linell felen ddwbl gerllaw. Roeddwn yng nghanol dwndwr dyddiol Blaenau, ac roedd y cyfan fel barddoniaeth i mi. Sylweddolais fy mod wedi syrthio mewn cariad deublyg, gan golli fy nghalon i ddyn a thref.

Pennod 23

Archifdy Meirionnydd, Ffordd y Bala, Dolgellau.

'Dach chi'n o lew?' gofynnodd dynes ganol oed, gyfeillgar wrth i mi osod fy mag cefn ar yr un bwrdd â'r diwrnod blaenorol. Roedd hi'n eistedd wrth y bwrdd y tu ôl i mi gyda phapurau lu wedi'u taenu o'i blaen.

'Ydw, diolch. A chithau?'

'Yn dda iawn, diolch, ond mae'r tywydd yn ofnadwy bore 'ma, tydy?'

'O, mae'n erchyll. Roedd hi'n bwrw hen wragedd a ffyn yr holl ffordd o Flaenau Ffestiniog.'

'Mae'n bechod am y Steddfod.'

'Ydy wir. Dwi'n amau fy mod i wedi bod yn annoeth yn fy newis o esgidiau ar ei chyfer.'

'Dach chi ddim yn mynd ar y Maes fel'na?' gofynnodd y ddynes mewn anghrediniaeth ar ôl iddi daflu cipolwg ar fy esgidiau pinc.

'Does gen i ddim welintons, yn anffodus,' cyfaddefais wrth edrych i lawr ar fy nhraed fy hun. 'Dwi yma ar wyliau, o'r Almaen, a doedd dim digon o le yn fy mag teithio.'

Erbyn meddwl, gallwn fod wedi gwisgo fy mŵts uchel duon, ond fydden nhw ddim wedi cydfynd â'm dillad ar gyfer heddiw, yn enwedig yr ymbarél.

'Wel, dyna anhygoel! A dach chi wedi dysgu Cymraeg yn yr Almaen?'

'Do.'

'Duwcs. A dach chi yma ar gyfer y Steddfod?'

'Ydw.'

'Dach chi chydig allan o'ch ffordd, yn tydach, yn Nolgella 'ma? I be dach chi'n ymchwilio, os ga' i ofyn?'

'Rhywbeth ynglŷn â dechrau'r Ail Ryfel Byd.'

Roedd distawrwydd am eiliad.

'Dwi'n sgwennu nofel,' ychwanegais yn frysiog – wedi'r cyfan, dyna'r celwydd roeddwn i wedi gorfod ei ddatgan ar ffurflen gopïo Gwasanaeth Archifau Gwynedd y diwrnod cynt. 'Rheswm dros wneud y cais hwn (manylion llawn – nid yw 'Ymchwil' yn ddigonol)' oedd y cwestiwn busneslyd, a byddai'r gwirionedd wedi bod yn rhy gymhleth a hirwyntog.

'Diddorol iawn,' meddai'r ddynes.

'Beth ydych chi'n ei wneud?' gofynnais iddi, i geisio newid y pwnc.

'Dim ond bach o waith ymchwil am y Gwasanaeth Iechyd yn yr ardal... ar gyfer llyfryn gwybodaeth.' Edrychodd ar ei horiawr. 'Iesgob, mae'n ugain munud wedi! Dwi'n gweithio yn y llyfrgell drws nesa, a dwi'n hwyr!'

'O, mae'n ddrwg gen i am wastraffu'ch amser,' meddwn wrth droi'n ôl at fy mwrdd fy hun.

'Dim o gwbl, dim o gwbl! Fy mai i ydy o am siarad gormod, fel arfer!' Casglodd y ddynes ei phapurau ar frys. 'Braf eich cyfarfod chi... a phob lwc efo'r nofel! Hwyl!'

Wrth iddi fynd, daeth un o staff yr Archifdy â'r gyfrol las yn cynnwys holl rifynnau *Y Rhedegydd* o 1939 i mi.

'Dyna chi... Katja ydach chi, ie?'

'Ie, diolch o galon... Elin,' atebais wrth ddarllen yr enw ar ei bathodyn.

Symudais yr arwydd glas 'Pensiliau yn unig' allan o'r ffordd er mwyn gwneud lle i agor y gyfrol anferth. Y tro hwn, gwyddwn yn union beth i chwilio amdano: unrhyw adroddiadau ym mis

Awst neu Fedi 1939 a allai egluro pam fod Friedrich wedi troi ei gyfranddaliad euraid yng nghwmni Gwledd y Mynydd Limited yn gyfranddaliad rheolaethol, yn ogystal ag adroddiadau ynglŷn ag arestiad ac euogfarn Alun.

Ond cyn hynny, allwn i ddim gwrthsefyll y demtasiwn i ddarganfod beth fu ymateb cymuned Gymraeg ardal Blaenau Ffestiniog i ddechrau'r Ail Ryfel Byd. Anelais at rifyn y 7fed o Fedi 1939 felly. Doeddwn i ddim yn disgwyl pennawd melodramatig mewn llythrennau bras – gwyddwn bellach, ar ôl bod drwy holl rifynnau Y *Rhedegydd* yn 1920, fod arddull y papur yn llawer mwy hunanfeddiannol a phwyllog na hynny. Ac roeddwn yn iawn – doedd y Rhyfel ddim yn cael ei grybwyll ar y dudalen flaen o gwbl, heblaw am un hysbysiad bach ynglŷn â mesurau dros dro i hwyluso dosbarthu bwyd anifeiliaid yn ystod y cyfnod. Ar dudalen 3, fodd bynnag, roedd hysbysiad gan Bwyllgor Sir Feirionnydd y Women's Land Army am y ffaith, a'r rhyfel wedi torri allan bellach, 'y bydd gwaith ar y tir yn ffurf bwysig iawn o wasanaeth cenedlaethol i'r wlad'. Pa wlad, tybed?

Wrth fodio drwy'r tudalennau daeth effaith yr ymladd ar y gymuned yn fwy amlwg. Gohiriwyd cystadleuaeth gneifio Maentwrog, a chaewyd y sinema ym Mlaenau Ffestiniog am y tro. Ar dudalen 5 roedd yna golofn arbennig wedi'i neilltuo i'r rhyfel: 'Prydain a Ffrainc yn uno â Pholand', a gwelais brawf nad peth newydd yw newyddion ffug: 'mae'r Almaen yn honi ac yn cyhoeddi ar y radio mai Prydain ei hun a suddodd yr *Athenia* a hynny er mwyn creu rhagfarn yn erbyn yr Almaen yn America.'

Allwn i ddim stopio darllen. Roedd Cynghrair yr Undebau Llafur yn apelio at weithwyr yr Almaen 'i sylweddoli eu bod yn cael eu gyrru i ryfel gan eu harweinwyr', ac yn datgan nad oedden nhw'n gallu credu 'bod 7,000,000 o Sosialiaid a 3,000,000 o Gomiwnistiaid a bleidleisiodd yn erbyn Hitler cyn dyfod ohono i awdurdod, i gyd wedi llyncu philisoffi y Nasiiaid'.

Doedd pethau ddim mor syml â hynny, mae'n debyg, ystyriais.

Troais at y rhifyn blaenorol wedyn a dechrau synhwyro'r pryderon a oedd ar led yn y gymuned – darllenais lythyr yn cwyno bod y Cyngor Sir yn oedi gormod cyn rhannu mygydau nwy ymysg y boblogaeth.

Cofiais yn sydyn beth roeddwn i'n chwilio amdano, a throais at rifyn dydd Iau, 24ain Awst 1939. Cefais sioc aruthrol wrth droi o'r dudalen flaen:

CROESOR
PROFEDIGAETH FAWR
Trychineb ofnadwy ddaeth i ran dyn y lle ddiwedd yr wythnos ddiweddaf. Profedigaeth heb ei chyffelyb yn y cylchoedd hyn, sydd rhaid ei phrofi gan gyfeillion a chydweithwyr yn Chwarel y Parc. Torcalonus yw cyfeirio at farwolaeth Mr. Morgan Davies, isreolwr yn y chwarel uchod, yn 46 oed ac yn wreiddiol o Ferthyr Tudful, ond yn drigolyn o Groesor ers bron i ugain mlynedd. Darganfyddwyd ef yn y chwarel ben bore bum niwrnod yn ôl wedi cael ei bastynu i farwolaeth gan un sydd erbyn hyn yn llechu rhag yr heddlu. Nawdd y nef fyddo drosto.

Llofruddiaeth is-reolwr Chwarel y Parc? Rhaid ei fod yn gweithio dan Alun, felly. A'r llofrudd yn cuddio rhag yr heddlu? Roeddwn ar dân eisiau gwybod mwy, a bu bron i mi rwygo'r tudalennau brau wrth chwilio am ddiweddariad. Ceisiais dawelu fy hun.

Daeth y diweddariad hwnnw yn rhifyn dydd Iau, 14 Medi 1939. Gwireddwyd fy ofnau gwaethaf:

MERIONETH QUARTER SESSIONS
NOTICE IS HEREBY GIVEN that the next General Quarter Sessions of the Peace for the County of Merioneth will be held in the County Hall at BALA in the said County, on Tuesday, the 3rd day of October at 11-30 a.m., when the Petty Jurors will be called and the Court will proceed to hear and determine all matters before them in the following order:

Roedd y trydydd achos yn ymwneud â Mr Alun Jones o Carn Uchaf, Stryd Maenofferen, Blaenau Ffestiniog, a gyhuddwyd o ddau dramgwydd troseddol: llofruddiaeth yn erbyn y gyfraith gyffredin, a'r drosedd o ddinistrio dogfennau gwarchodedig yn erbyn Deddf Masnachu gyda'r Gelyn 1939.

Beth ar y ddaear oedd wedi digwydd? Ai oherwydd y farwolaeth honno roedd Friedrich wedi cymryd rheolaeth dros y cwmni, tybed, ac os felly, pam roedd Friedrich wedi cymryd y cam hwnnw? Er gwaetha'r holl ddarganfyddiadau, roeddwn yn y tywyllwch o hyd.

Edrychais i lawr ar fy oriawr: deng munud wedi hanner dydd! I ble aeth yr amser? Hoffwn ddweud fy mod i wedi llwyr ymgolli yn fy ngwaith yn yr archifdy, ond y gwir oedd i mi ddal fy hun yn cysgu ar fy nhrwyn sawl gwaith oherwydd fy mlinder llethol, yn ogystal â cheisio ail-fyw'r oriau diweddar roeddwn wedi'u treulio â Seiriol.

Ceisiais ganolbwyntio yn y gobaith o daro ar yr allwedd i bopeth o fewn y chwarter awr nesaf, ond allwn i ddim meddwl yn glir. Llithrodd fy llygaid dros erthygl fer am y mudiad heddwch a chyfarfodydd y Gwrthwynebwyr Cydwybodol, ac un arall am famau a phlant a gludwyd o ddinas Lerpwl i ardal Llanrwst i ddianc rhag y bomio, ac allwn i ddim peidio â meddwl sut y bu i ddinas Lerpwl ad-dalu'r gymwynas honno yn y pen draw.

Roeddwn wedi dechrau derbyn na fyddai fy ngwaith yn dwyn ffrwyth pan gefais fy nychryn gan lais tyner Elin y tu ôl i mi.

'Ddrwg gen i, Katja, ond 'dan ni'n cau am ginio rŵan.'

Pennod 24

12:41, brynhawn Gwener, 18fed Awst 1939.

Caban Chwarel y Parc, Croesor.

'Neis dy weld di'n darllen papur newydd Prydeinig, Dewi, yn hytrach na'r sothach plwyfol 'na yn *Y Rhedegydd*,' meddai Morgan wrth ddod i mewn i'r caban.

Edrychodd Dewi ddim i fyny o'i gopi o'r *Daily Express*. 'Wn i ddim pam nad ei di i fyw yn Lloegr, Morgan,' atebodd yn sych wrth barhau i ddarllen ei bapur wrth fwrdd mawr y caban.

Chwarddodd y dynion eraill, a gwridodd Morgan.

'Be sy'n mynd ymla'n yn y byd heddi, 'te?' gofynnodd, mewn ymgais i dynnu sylw oddi wrth y ffaith iddo gael ei drechu mewn dadl ddiangen.

'Wel, mae 'na rwbath yma am rywun o dy filltir sgwâr di, Morgan.'

'Ie, pwy?'

'Tommy Farr.'

''Smo fe'n dod o fy milltir sgwâr i, cofia. Mae'n dod o Gwm Clydach. Ond ie, dyma'r ardal i bencampwyr y byd go iawn, heb os! *Up the* Hwntws, gw'boi!' Cilwenodd Dewi. 'Beth amdano fe?' gofynnodd Morgan.

'Mae'n deud yn fama ei fod o am ymladd Almaenwr o'r enw Arno Koeblin yn o fuan.'

'Yma, yng Nghymru?' holodd Morgan mewn anghrediniaeth.

'Ia, ond mae cangen Gymreig y Bwrdd Rheoli Paffio Prydeinig wedi argymell bod y Weinyddiaeth Lafur yn gwrthod caniatáu iddo fo ddŵad yma i baffio.'

'A da o beth yw hynny! Unrhyw reswm penodol? Ar wahân i'r ffaith 'i fod e'n blydi Jyrman, wrth gwrs!'

'Wn i ddim, ond mae 'na ddyfyniad ar ddiwedd yr erthygl o ryw bapur newydd yn Berlin.'

'Yn dweud beth?'

Gwenodd Dewi eto wrth iddo geisio dynwared acen Almaenig gref, yn theatraidd braidd. 'Perhaps the men of the British Boxing Board of Control regard the harmless German boxer as a spy.'

Chwarddodd pawb ac eithrio Morgan.

''Smo fe'n beth i chwerthin amdano fe,' mynnodd Morgan. 'Mae e *yn* ysbïwr, mwy na thebyg, yr Hỳn brwnt!'

'Sôn am ysbiwyr,' meddai Ifan, 'ble mae Alun?'

Bu pwl arall o chwerthin afreolus.

'Peidiwch â chwerthin! Dyna beth yw e! Mae'r ci bach wedi mynd i nôl ei feistr o'r orsaf drenau yn Blaenau.'

'O, heddiw mae o'n dŵad, ia?'

'Ie, i deyrnasu droston ni unwaith 'to a'n hatgoffa ni mai ei Hỳn-arian crachlyd e sy'n talu'n cyflogau ni!'

'Go brin!' ebychodd Guto. 'Ni sy pia'r graig!'

'Yn gwmws,' cytunodd Morgan. 'Dyna'n union fy mhwynt i.'

'Ond mae'n debyg bod ganddo fo reswm pendant i ddŵad,' ymresymodd Siôn ar ôl cymryd cegaid o de, 'yn enwedig ar adeg mor gythryblus.'

'Wel, ie, mae'n dod i gynllunio brwydr gyda'i was bach, on'd yw e?'

'Pa frwydr?' holodd Ifan. 'A pham wyt ti mor gas efo fo drwy'r amser?'

''Da Alun?'

'Ia.'

'Achos taw bradwr a chynffonnwr yw e.'

'Pa frwydr, Morgan?' ailofynnodd Dewi gwestiwn Ifan.

'Wel, rhyfel. Os ti'n gofyn i fi, mae e'n gwneud yn siŵr fod ei ysbïwr bach yn barod am beth sy'n dod dros y bryn.'

'Rhyfel?' holodd Ifan.

'Heb os.'

'Dwi ddim mor siŵr am hynna fy hun, Morgan,' atebodd Dewi. 'Mae'n deud yn fama bod masnachwyr bondia' tramor yn Llundain yn meddwl bod y sefyllfa ryngwladol yn well nag oedd hi flwyddyn yn ôl. Mae'n debyg bod Llywodraeth yr Almaen yn dal i brynu'r holl fondia' bwrdeistrefol Almaenig sy'n cael eu gwerthu ar farchnad Llundain.'

'Nonsens llwyr yw hynny, Dewi,' meddai Morgan. 'Bydd 'na ryfel, yn bendant. Hefyd, glywes i'r ddau ohonyn nhw'n siarad Almaeneg 'da'i gilydd y tro diwetha i'r Natsi brwnt ddod yma.'

'Alun a'r Hỳn? Yn siarad Almaeneg yn y chwarel yma?' holodd Siôn yn syn.

'Wel, yn swyddfa Alun. Ro'n i'n clustfeinio tu ôl i'r drws. Pam wnaethon nhw hynny, tybed? O ystyried bod yr Hỳn yn siarad Cymraeg fel tase fe wedi llyncu geiriadur?'

'Mae o'n siarad yn well na ti, Morgan,' cellweiriodd Dewi.

'Ha, ha,' meddai Morgan yn swta. 'Ta beth, wy'n mynd i neud yr un peth nes ymla'n heddi a gweud y gwir... clustfeinio, ceisio darganfod beth maen nhw'n 'i gynllwynio.'

'Wyt ti wedi bod yn astudio, Morgan?' holodd Dewi'n goeglyd.

'Astudio beth?'

'Sut mae dy Almaeneg di bellach?'

'Pam fydden i'n moyn trochi 'ngheg 'da gair o'r iaith fochedd 'na?'

'Iawn, ond sut wyt ti'n mynd i ddallt be maen nhw'n gynllwynio, 'ta?' gofynnodd Dewi gyda gwên.

'Wel, sai'n gwybod, ond fe wna i, gei di weld! Mae'n amlwg

bod Alun yn ysbïo ar gyfer y Jyrmans, yn gwbl amlwg. Pam aeth e i'r Almaen fis Mehefin fel arall, 'te? Am fordaith yn y Baltig? 'Wy'n gwbl sicr iddo fynd i ryw wersyll hyfforddi ar gyfer ysbïwyr Natsïaidd pan oedd e yno.'

Bu tawelwch, wrth i'r geiriau wneud eu marc ar y dynion.

'Ta beth,' aeth Morgan yn ei flaen, 'mae cynllun 'da fi.'

'O?' gofynnodd Dewi. 'Ydy o'n gynllun cyfrwys?'

'Odi, wy'n mynd i gael gwared ar y blydi Natsi am byth. Mae'n hen bryd.'

'Sut yn union wnei di hynny?' holodd Siôn.

'Wel, sgwennes i at y Bwrdd Masnach y bore 'ma. Gweud y dylsen nhw gynnal ymchwiliad i drosedde posib gan y cwmni sy'n rhedeg y chwarel.'

'Be?' ebychodd Ifan. 'Be os gaean nhw'r chwarel i lawr? Fyddi *di*'n rhoi bwyd ar fy mwrdd i a thalu fy rhent i wedyn, byddi?'

'Wna' i gadw cwmni i dy wraig di 'fyd!' meddai Morgan yn awgrymog.

Gwgodd Ifan.

'Paid â bod yn wirion, Ifan,' meddai Dewi. 'Mae Morgan yn iawn, am unwaith. Mi fasa'r Bwrdd Masnach yn cymryd drosodd, mae'n debyg... ac ydy, mae'n hen bryd, am wn i, rhyfel neu beidio. 'Dan ni i gyd wedi colli rhywun yn y Rhyfel Mawr wedi'r cwbl, rhiant neu frawd neu gyfaill. *Once a German, always a German*, ddeuda i. Does dim modd ymddiried ynddyn nhw.'

Pennod 25

Maes yr Eisteddfod Genedlaethol, Llanrwst.

Roedd fy esgidiau pinc yn llanast brown erbyn i mi gyrraedd y brif fynedfa, a mwd wedi tasgu i fyny fy nghoesau at odrau fy siorts denim. O leiaf roedd prynu'r ymbarél binc wedi profi'n syniad call, ystyriais.

Roeddwn yn awyddus iawn i drafod yr hyn a ddarganfyddais y bore hwnnw gyda Mair – a chyda Seiriol hefyd, ond gan ei fod e'n gweithio ym mhabell y Mentrau Iaith drwy gydol y dydd, fy nghynllun oedd ceisio dod o hyd i Mair a Branwen yn y Babell Lên a chael gair sydyn gyda nhw cyn i Ymryson Barddas ddechrau am chwarter wedi dau. Ond cyn hynny, yn gwbl annisgwyl, deuthum ar eu traws y tu allan i babell Shw'mae Su'mae.

'Pnawn da, Katja,' meddai Branwen yn sur. 'Dwi'n falch o weld eich bod chi wedi gwisgo'n addas at yr achlysur. Dach chi wir yn obeithiol, dydach?'

'Haia cyw,' meddai Mair, a throi'n syth at ei ffrind. 'Branwen! Be sy? Pam wyt ti mor gas efo Katja druan?' ebychodd.

Trodd Mair ataf heb aros am ateb. 'Anwybydda hi, Katja. Mae hi wedi bod mewn hwyliau drwg drwy'r dydd am ryw reswm.'

Ddywedodd Branwen yr un gair.

'Prynhawn da,' oedd fy unig ateb felly. 'A diolch i ti, Mair,' ychwanegais.

'Mae 'na olwg wedi blino'n lân arnoch chi, Katja. Chysgoch chi ddim yn dda neithiwr?' gofynnodd Branwen.

'Wel, naddo a dweud y gwir.'

'Am gyd-ddigwyddiad. Mae golwg flinedig ar Seiriol heddiw hefyd. Gafodd y ddau ohonoch chi bryd blasus o fwyd yn y Manod ar ôl i chi adael y Maes?'

'Naddo. Dydyn nhw ddim yn gweini bwyd yno.'

'Nac'dyn, na. Dyna'n union groesodd fy meddwl i pan ddeudodd Seiriol eich bod chi'n mynd yno am damaid.'

'Wel, gawson ni greision,' atebais yn wan.

'O, creision! Dyna rwbath, am wn i. Unrhyw beth arall?'

'Na.'

'Mmm. Mae'n ymddangos i mi fel 'tasa chwant am rwbath arall wedi codi arnoch chi, er gwaetha'r holl greision 'na.'

'Sori?'

Doeddwn i ddim yn sicr beth roedd Branwen yn sôn amdano, ac eto, dechreuodd rhyw deimlad annifyr gorddi yn fy stumog.

'Mae'n ddirgelwch, mae'n siŵr, ond mae gan Seiriol farc piws amheus ar ei wddw heddiw.'

Beth? Hyd y gallwn gofio, doeddwn i ddim wedi gwneud unrhyw beth a allai fod wedi achosi hwnnw. Ond wedi dweud hynny, roedd fy nghof yn niwlog o rannau mwyaf tanbaid y noson.

'Branwen!' ebychodd Mair unwaith eto. 'Be wyt ti'n gyhuddo Katja druan o'i wneud? Ma' siŵr mai Glain...'

'Naci, dwi ddim yn meddwl,' torrodd Branwen ar ei thraws. 'Doedd hitha ddim yn edrych yn hapus iawn am y peth chwaith, pan welais i hi'n gynharach.'

'Ond ro'n i'n meddwl ei bod hi'n dal ym Manceinion,' meddai Mair yn ddryslyd.

'Oedd, mi oedd hi,' atebodd Branwen wrth edrych yn syth arnaf i, 'ond mi gyrhaeddodd hi adra neithiwr... hiraethu am ei chariad oedd hi, mae'n debyg, ac mi gymerodd hi dri diwrnod o wyliau ar fympwy. Mi aeth hi'n syth i weld Seiriol ar ôl iddi gyrraedd, yn meddwl rhoi syrpréis bach neis iddo fo. Mi oedd hi'n methu aros i fod efo fo. Dim ond un broblem fach oedd 'na. Dach chi'n medru dyfalu be oedd y broblem honno, Katja?'

Ddywedais i 'run gair.

'Doedd Seiriol ddim adra,' aeth Branwen yn ei blaen. 'Na, doedd o ddim, ac mi arhosodd Glain amdano yn ei wely o... drwy'r nos... ac mi ymddangosodd o o'r diwedd ar ôl iddi wawrio. Lle oedd o wedi bod, dach chi'n meddwl?'

Roeddwn wedi cynhyrfu'n lân bellach. Rhaid bod yr euogrwydd a'r ofn i'w gweld ar fy wyneb. Newid y pwnc fyddai'r peth gorau.

'Drychwch, Branwen, dwi'n gwybod nad oes ganddoch chi ddiddordeb yn fy ngwaith ymchwil, ond eisiau cael gair gyda Mair yn y Babell Lên oeddwn i... cyn i Ymryson Barddas ddechrau.'

'O, dyna lwcus, i ni daro ar ein gilydd, 'te,' meddai Mair yn gyfeillgar mewn ymgais amlwg i anwybyddu ei chyfaill oes. 'Mi o'n ni yn y Babell Lên ar gyfer sesiwn Dim Croeso Chwedeg-Nain, ond 'dan ni ar ein ffordd i'r Tŷ Gwerin rŵan, ar gyfer lansiad cyfrol newydd Myrddin ap Dafydd. Be am i ti ddod efo ni?'

'Fe fyddwn i wrth fy modd, diolch yn fawr, ond y peth yw, dwi angen picio draw i stiwdio Radio Cymru er mwyn ceisio cael fy nghyfweld ar y *Post Prynhawn*, achos...'

'Eich cyfweld?' torrodd Branwen ar fy nhraws. 'Pam hynny, er mwyn y Tad?'

'Dwi eisiau apelio am wybodaeth.'

'Gwybodaeth am be?'

'Am Alun. Dwi'n dychwelyd i'r Almaen fory, felly does dim

llawer o amser 'da fi. Mae'n ymwneud â'r hyn ddarganfyddais i yn yr Archifdy y bore 'ma.'

Agorodd Mair ei cheg er mwyn gofyn cwestiwn, ond yn ofer.

'Be dach chi wedi'i ddarganfod?' holodd Branwen yn swta, cyn i'w ffrind allu cael gair i mewn.

'Dwi wedi dysgu pwy wnaeth Alun ei ladd: Morgan Davies, ei is-reolwr e yn Chwarel y Parc. Roedd e'n hanu o Ferthyr Tudful, mae'n debyg.'

'O ia, mae hynny'n canu cloch!' meddai Mair. 'Mi o'n i'n gwybod nad oedd o'n dŵad o'r ochra' yma. Mi fasa wedi bod yn eitha lletchwith fel arall, mae'n debyg... efo'i deulu ac ati.'

'Lletchwith?' gofynnodd Branwen yn anghrediniol.

'Ta beth,' meddwn i drachefn, 'ffeindiais i rywbeth arall mas hefyd. Y cyfan a wnaeth e o ran cydweithredu gyda'r Almaenwyr, fel roedden nhw'n ei alw e, oedd dinistrio rhai dogfennau. Does dim cofnod hyd y gwn i o beth oedd yn y dogfennau hynny, felly mae'n swnio fel erledigaeth i mi.'

'Pam dach chi'n codi nyth cacwn?' hisiodd Branwen, prin yn rheoli'i thymer. 'Dim ond pum munud dach chi wedi bod yma, ond dach chi wir yn benderfynol o gorddi'r dyfroedd a gwthio'ch trwyn i fusnes pobl eraill... heb sôn am ddwyn cariadon genod eraill!'

'Dwyn?' meddwn yn syn. 'Mae gan Seiriol ei feddwl ei hun!'

'O, dach chi'n cyfaddef felly?' bloeddiodd Branwen yn orfoleddus.

A finnau'n meddwl na allai pethau waethygu, dyna'n union ddigwyddodd. Sylwais ar Seiriol yn cerdded tuag atom o gyfeiriad Bar Syched. Hyd y gwelwn i, gwisgai'r un dillad â'r diwrnod cynt, a doedd e ddim ar ei ben ei hun. Roedd merch osgeiddig wrth ei ymyl – merch â gwallt tywyll, sgleiniog oedd bron mor dal ag ef, merch a lwyddai i edrych fel model yn ei ffrog haf ddu, fer, welintons duon a chôt-law binc. Hyd yn oed o bell, roedd hi'n amlwg bod y ferch yn gweiddi ar Seiriol fel petai'r byd ar ben. Clywais y gair 'hwran' yn glir. Stopiodd y ddau'n stond ar ôl iddo ddweud rhywbeth a wnaeth iddi hi oernadu fel cath. Yr eiliad honno, sylwodd hi arnom.

Dechreuais grynu fel deilen. Er nad Saesneg yw fy hoff iaith, ymadrodd yn yr iaith honno ddaeth i fy meddwl: *'Beam me up, Scotty!'* Brasgamodd y ferch yn syth ataf â Seiriol wrth ei sodlau.

'*Hon* oedd hi?' gofynnodd Glain yn gyhuddgar wrth iddi droi rownd i wynebu'i chymar.

Edrychodd Seiriol ar y gwair lleidiog.

'Fedra i ddim coelio'r peth!' aeth hi yn ei blaen, gan gymryd ei dawelwch yn gyfaddefiad ac edrych i lawr arna i. 'Wyt ti'n siŵr nad ydy hi dan oed, cariad? Mae hi'n edrych fel plentyn! Fedri di gael dy arestio am betha' felly!'

Ddylai Glain ddim bod wedi gwneud sylw mor nawddoglyd ynglŷn â'm diffyg taldra. Roedd fel cadach coch i darw. Yn syth, anghofiais am unrhyw deimladau o euogrwydd.

'Ti'n siarad gyda fi?' gofynnais yn heriol. Roeddwn i'n gandryll.

'Dim *efo* chdi, na. *Amdanat* ti. Mi ddyliat ti fod yn yr ysgol, dyliat? O na, nes i anghofio... mae'n wyliau tydi? Ond mae dy gemau bach di wedi mynd chydig yn rhy bell, ti ddim yn meddwl?'

Roedd hi'n sefyll drosta i erbyn hynny, ond doedd dim ots gen i bellach.

'Beth yw dy broblem di yn union?' gofynnais wrth edrych i fyny i fyw ei llygaid.

'Fy mhroblem i? Chdi ydy fy mhroblem i! Gair i gall – cyn i chdi gysgu efo rhywun, mi ddyliat ti wneud yn siŵr bod gynno fo ddim cariad!'

'Dwi erioed wedi cysgu gyda dy gariad di.'

'O, y cachwr i chdi! Ti'n gwadu felly?'

'Gwadu beth?'

'Ffwcio fy nghariad i.'

'Na, dim o gwbl ... ond doedd dim cysgu. Fe ddyliet ti wybod pa mor bwysig yw bod yn fanwl gywir, Glain... a titha'n gyfreithwraig. Roedd y ddau ohonon ni'n gwbl effro drwy'r amser, dwi'n addo.'

'Yr hen ast i chdi!'

'Paid â bod mor rhagrithiol, a tithe wedi fy mychanu i o achos fy nhaldra.'

'Ti wedi dwyn rwbath sy'n perthyn i mi!'

'Rhywbeth? Perthyn? Am beth ti'n sôn? Nid nwyddau a chelfi yw pobl. Dim ti sy piau nhw.'

'Fy nghariad i ydy Seiriol, ac mi oeddet ti'n gwybod hynny! Fasat ti ddim yn gwybod fy enw fel arall!'

'Does gen i ddim dyletswydd o gwbl i dy ystyried di, ond beth am dy ddyletswydd di tuag at Seiriol?'

'Fy nyletswydd i?'

'Ie. Petaet ti'n ei fodloni e, fyddai e ddim wedi troi ata i, na fyddai?'

'Paid di â meiddio! Dwi wedi bod i ffwrdd yn ddiweddar.'

'Yn union.'

'Be ti'n feddwl, "yn union"?'

Ddylwn i ddim bod wedi'i phryfocio hi ymhellach, a finnau'n dechrau cael y llaw uchaf arni, ond roeddwn i wedi colli rheolaeth dros fy nhafod yn llwyr. Synnais faint o gynddaredd oedd yn byrlymu y tu mewn i mi, a diolch i'r hyn ddywedodd Seiriol am ddirywiad eu perthynas yn y dafarn y noson gynt, gallwn synhwyro ei man gwan.

'Wel, ti'n fradwr, on'd wyt?'

'Bradwr?'

'Ie, mae'r gwir yn brifo, on'd ydy? Ti wedi bradychu dy iaith, dy gymuned a dy ddiwylliant.'

'Sut hynny?'

'Fel y dywedodd Gwynfor Evans, ti'n rhan o'r criw uchelgeisiol sy'n aberthu'u hegwyddorion a'u dyletswyddau cymunedol ar allor eu buddiannau hunanol eu hunain. Yn un o'r rhai sy'n derbyn addysg benigamp yn Gymraeg ond yn ei thaflu hi'n ôl i wynebau'r bobl a frwydrodd i ddarparu'r addysg honno ar gost eu gyrfaoedd eu hunain. Un o'r rhai sy'n hapus iawn i gymryd ond yn hynod gyndyn o roi'n ôl.'

Roedd Glain yn berwi â dicter erbyn hynny, a'i hwyneb yn goch a dagreuol.

'Ti'n dysgu iaith leiafrifol fel hobi ac yn meddwl bod gen ti'r hawl i roi pregeth i mi am y ffordd dwi'n byw fy mywyd?'

Roedd ganddi bwynt teg, wrth gwrs, ond bellach roedd y ddadl wedi mynd y tu hwnt i bob rheswm. Er gwaetha'r glaw, roedd torf sylweddol o bobl wedi ymgasglu o'n cwmpas er mwyn gweld a chlywed y sioe. Doedd dim camu'n ôl felly.

'*Ti* sy'n trin y Gymraeg fel hobi. Cymraes ran-amser wyt ti.'

'Cymraes ran-amser?'

'Ie, mae'n siŵr dy fod ti'n osgoi'r Gymraeg fel y pla ym Manceinion mewn ymgais i gael dy dderbyn fel Saesnes go iawn wrth redeg ar ôl yr arian mawr.'

'Dwyt ti ddim yn gwybod dim amdana i, yr hwran i chdi!' ebychodd Glain mewn llais cryg wrth iddi igian wylo. Ond daeth ati'i hun yn gyflym. 'Sut gythraul wyt ti'n gwybod mai ym Manceinion dwi'n gweithio? A sut wyt ti'n gwybod mai cyfreithwraig ydw i, erbyn meddwl?'

Roedd hi wedi llwyddo i fy mwrw i oddi ar fy echel. Doedd gen i ddim ateb.

'A,' meddai Glain yn orfoleddus, 'ti wedi colli dy dafod rŵan, do?' Trodd at Seiriol. 'Be ti 'di bod yn ddeud wrthi amdana i?'

'Dim byd!' oedd ei ateb claear. Chwarae teg iddo, roedd mwy o ddiolch i Facebook nac iddo fo am yr hyn wyddwn i am Glain.

'Ha! Choelia i fawr!' ebychodd Glain yn ddirmygus. 'Mae'n debyg dy fod ti wedi bod yn gwneud dy waith cartref fel merch ysgol, yn do! Ond dwi ddim yn gwybod y peth cynta amdanat ti. Dwyt ti ddim yn ddigon pwysig i gyfiawnhau'r ymdrech! Faint ydy d'oed di, beth bynnag?'

'Dwi'n hŷn na ti.'

'O... wir? Wna i ddim gofyn sut wyt ti'n gwybod hynny. Ac eto, ti'n dal i roi *love bites* i fechgyn... fel merch ysgol! Wel, ti'n gwybod be? Croeso i ti ei frathu o i farwolaeth os leci di!' bloeddiodd hi yn fy wyneb cyn rhuthro fel corwynt i gyfeiriad y Pentref Drama.

Dyna addas.

'Glain!' gwaeddodd Seiriol ar ei hôl. 'Paid â mynd! Ty'd yn ôl!'

'Gad lonydd iddi,' meddai Branwen. 'Mae gen i rwbath pwysig i'w drafod efo'r tri ohonoch chi. Adra â ni.'

'Be? Rŵan?' gofynnodd Seiriol yn anghrediniol.

'Rŵan.'

'Be am Myrddin ap Dafydd?' holodd Mair yn ddig.

'Mi fydd yn rhaid iddo wneud heb ein cwmni ni.'

Pennod 26

15:27, brynhawn Mawrth, 6ed Awst 2019.

Cartref Branwen, Trem y Fron, Blaenau Ffestiniog.

'Awn ni drwadd i'r stafell wydr,' meddai Branwen wrth ein harwain drwy ei thŷ chwaethus.

Roedd yr olygfa o'r ystafell honno'n un drawiadol, ac yn deilwng o enw'r stryd. Rhoddai'r ffenestr fae lydan gip i ni ar ardd goeth, ehangder helaeth o goedlannau a dolydd, yn ogystal â chopaon Parc Cenedlaethol Eryri yn y cefndir. Er ei bod wedi stopio bwrw bellach, roedd yr awyr yn llwyd atmosfferig.

'Ti'n hoffi'r olygfa, Katja?' gofynnodd Branwen.

Synnais gymaint ei bod hi wedi fy ngalw i'n 'ti' nes y bu bron i mi â thagu ar fy mhoer. Doedd Branwen ddim wedi yngan gair yn y car ar y ffordd yn ôl i Flaenau Ffestiniog o faes yr Eisteddfod – dim ond Mair oedd wedi siarad â fi o gwbl, mewn ymgais aflwyddiannus i gael gwared â'r awyrgylch annioddefol. Roedd Seiriol wedi cyfyngu'i hun i un sylw oeraidd drwy'i ddannedd wrth i ni gerdded dros y gwair gwlyb i gyfeiriad fy nghar: na ddylwn fod wedi siarad â'i gariad mewn ffordd mor greulon, ac nad oedd e wedi gwerthfawrogi bod yn dyst i'r ffrae. Wnes i ddim crybwyll mai Glain osododd gywair y sgwrs yn y lle cyntaf cyn i mi gael cyfle i yngan gair. Roedd hi'n amlwg na allai unrhyw eiriau achub y sefyllfa, a bod y ffrae wedi sgubo'r noson gynt i ffwrdd, fel pe na bai hi wedi digwydd.

'Ydw, mae'n anhygoel,' meddwn mewn ymateb i gwestiwn

Branwen. 'Fel y nefoedd ar y ddaear. A dweud y gwir, mae hynny'n wir am y dref hefyd, yn fy marn fach i.'

'O, ydy, mae'n freichled o dre, chwedl Gwyn Thomas,' meddai hi.

Wyddwn i ddim pwy oedd Gwyn Thomas, ond penderfynais beidio â gofyn.

'Beth yw hwnna?' gofynnais wrth bwyntio at fynydd penodol.

'Be?'

'Y mynydd 'na?'

'O, hwnna? Dyna Gader Idris... wedyn y Rhinogydd, ti'n gweld? Fanna, ia, a'r Moelwynion tua'r gorllewin.'

'A beth am y rheina?'

'Y ddau Fanod ydyn nhw. Nhw sy'n gwarchod y dre, wyddost ti.'

'Mae hynny'n gwneud perffaith synnwyr. Fe ges i ryw deimlad fel'na pan gyrhaeddais i ddydd Gwener – teimlad o gael fy ngwarchod.'

'Yn union, ond y bobol sydd bwysicaf, Katja. Y bobol sy'n dy warchod di yma'n fwy na dim. Y bobol, dyna be sy'n gwneud Blaenau'n lle gwerth byw ynddo.'

'Be oeddach chi isio'i drafod efo ni, Nain?' gofynnodd Seiriol, a oedd yn dal i wrthod edrych arna i.

'Panad gynta?' holodd Branwen gan edrych ar y tri ohonon ni.

'Dim diolch,' atebais, ac ysgydwodd Seiriol ei ben.

'Dwi bron â marw isio gwybod be sy gen ti i'w ddeud!' meddai Mair yn ddiamynedd. 'Mi gymera i banad wedyn.'

'Iawn, steddwch, 'ta,' meddai Branwen wrth bawb, cyn sylweddoli nad oedd digon o seddi yn yr ystafell wydr. 'O, ty'd â dwy gadair wellt o'r stafell fyw, wnei di, Seiriol?'

'Wrth gwrs, Nain.'

Ar ôl iddo ddychwelyd, eisteddodd Mair a finnau ar y

cadeiriau gan adael i Branwen a Seiriol rannu'r soffa wiail.

Cliriodd Branwen ei gwddf cyn dechrau.

'Do'n i ddim yn meddwl y basa'r diwrnod hwn yn cyrraedd,' meddai.

'Pa ddiwrnod?' gofynnodd Mair.

'Mae gen i lawer i'w ddeud. Felly, mi fasa'n well tasat ti'n gwrando heb dorri ar draws, cyw, iawn?'

'Iawn,' meddai Mair yn sorllyd.

'Mae dau beth wedi f'argyhoeddi mai heddiw ydy'r diwrnod. Yn gynta,' meddai Branwen wrth edrych arnaf i, 'y ffaith fod Katja fach wedi dod i aros yma.'

Ceisiais chwilio am unrhyw awgrym o goegni yn y gair 'fach', ond doedd dim.

'Dwi'n ymddiheuro am fod mor gas efo chdi, Katja,' meddai.

Roeddwn i mewn sioc. Cododd Seiriol ei aeliau hefyd.

'Mi oeddat ti'n dod yn rhy agos, dyna i gyd,' meddai hi drachefn.

'At beth?' gofynnais.

'At y gwir. Ar ôl i mi glywed be wnest ti 'i ddarganfod heddiw, a dy ddehongliad di... wel, mi oedd hi'n amlwg dy fod di ar y trywydd iawn. Wedyn y ffordd wnest ti ddelio â Glain,' meddai gan chwerthin. 'Dwi erioed wedi gweld neb yn cael y gora' arni fel'na. A bod yn hollol onest, mi o'n i wedi meddwl mai chydig o lo cors oeddat ti... ddrwg gen i, ond dyna fo... ond dwi'n medru gweld bellach nad o'n i'n iawn o gwbl. Dwi wedi dy gamfarnu di, Katja, yn amlwg. Mi ddaeth yn glir i mi pnawn 'ma na fasat ti byth yn rhoi'r gorau iddi. Un ffordd neu'r llall, mi fasat ti wedi dod â'r holl ffeithiau i'r golwg yn y pen draw. Ti'n un bengaled iawn!'

Ceisiais beidio â gwenu.

'Ac yn ail?' holodd Mair.

Chwarae teg i Mair, roeddwn wedi anghofio'n barod fod yna ddau bwynt.

'Yn ail,' atebodd Branwen, 'does gen i ddim llawer o amser ar ôl yn yr hen fyd 'ma.'

Chwarddodd Mair. 'Paid â bod yn wirion. Mae'r un peth yn wir amdana inna, cofia. Nid cywen ifanc mohona i bellach chwaith!'

'Na, yn sicr,' atebodd Branwen, 'ond does dim yn sicr. Wel, *doedd* dim byd yn sicr yn fy achos i tan yn ddiweddar... ond mae gen i rywfaint o sicrwydd bellach.'

Edrychodd Mair ar ei ffrind yn ddryslyd. 'Am be ti'n sôn?'

'Mi es i i weld arbenigwr yn Lerpwl wysnos dwytha,' oedd ateb Branwen. 'Doedd ganddo ddim newyddion da i mi.'

'Be ddeudodd o?' gofynnodd Mair gyda thinc o bryder yn ei llais.

'Bod gen i dri mis i fyw... ar y mwya. Canser... yn yr ofarïau, mae'n debyg, ond mae o wedi lledaenu i bob man bellach. Does 'na ddim gobaith am driniaeth.'

'Na!' ebychodd Mair mewn trallod amlwg. 'Fedrith hynny ddim bod yn wir!'

'Mae o, gwaetha'r modd. Ond paid â phoeni, cyw. Dwi wedi cael byw i oedran teg, fel chditha. Y ddwy ohonan ni efo'n gilydd.'

'Ond pam wyt ti wedi cuddio hyn rhagdda i?' gofynnodd Mair â chymysgedd o ddicter a chryndod yn ei llais.

'Mi o'n i'n aros am yr amser iawn. Ddrwg gen i.'

'Nain...' meddai Seiriol, dan deimlad. Edrychai fel plentyn bach er gwaetha'i faint a'i farf, a theimlais awydd i'w gofleidio – awydd oedd bron yn drech na fi.

Gosododd Branwen ei llaw ar ben ei law ef, a'i gwasgu'n dyner. Gwasgodd Seiriol ei llaw hithau.

'Dewch rŵan,' meddai Branwen yn benderfynol. 'Dwi ddim isio gwastraffu munud o'r amsar sy gen i ar ôl, iawn? Dim dagrau, a dim lol. 'Dach chi'n 'y nghlywed i?'

Nodiodd pawb.

'Reit, ymlaen at yr hanes 'ta.'

Roedd yn rhaid i mi ddweud rhywbeth. 'Mae'n wir ddrwg 'da fi glywed hynny, Branwen,' meddwn.

'Diolch, Katja. Ma' bywyd yn mynd yn ei flaen, yn tydy? Beth bynnag, mae gen i gyfrinach, a dwi wedi hen syrffedu ar ei chario hi o gwmpas. Hen syrffedu ceisio amddiffyn enw da'r teulu 'ma. Does gen i ddim egni bellach, dim egni nac awydd. Mae agweddau cymdeithas wedi newid cymaint erbyn hyn, ac er bod y gyfrinach wedi'i phasio mlaen o genhedlaeth i genhedlaeth... gan fy nain...'

'Rhian, ie?' torrais ar ei thraws.

'Ia, Rhian, gwraig Alun... fy nain. Hi wnaeth sôn wrth Mam. Gwenllïan oedd enw Mam, Katja, gyda llaw, merch Rhian ac Alun. Ac mi basiodd hitha'r gyfrinach i mi. Ychydig fisoedd cyn i Mam farw, mi roddodd hi focs i mi, bocs efo sypyn o hen lythyrau ynddo fo. Ac mi ddeudodd y cyfan wrtha i.'

'Bocs?' gofynnodd Mair. 'Pa focs? Lle mae o?'

'Yn yr ystafell fyw, y tu ôl i'r soffa. Seiriol, dos i'w nôl o i mi.'

'Iawn, Nain,' atebodd Seiriol yn ufudd.

Ar ôl llai na munud dychwelodd, yn cario tun mawr rhydlyd â'r geiriau 'Quality Street' arno.

'Hwn ydy o?' gofynnodd.

'Ia. Diolch i chdi,' meddai Branwen ar ôl iddo eistedd yn ôl i lawr wrth ochr ei fam-gu ar y soffa wiail. Tynnodd hi'r caead a thyrchu drwy gynnwys y bocs cyn dod o hyd i hen amlen wedi melynu.

'Mi geith Seiriol ddarllen y llythyr i chi mewn munud neu ddau, ond dewch i mi egluro rhai petha gynta. Mi oeddat ti'n iawn, Katja – mi oedd y cyhuddiad yn erbyn Alun o gydweithredu efo'r Almaenwyr yn un tenau iawn. Mi aeth Rhian i'r llys, wyddost ti... bob diwrnod o'r achos. Mi oedd hi isio ffurfio'i barn ei hun a oedd ei gŵr yn euog neu beidio. Mi oedd 'na lai o amheuaeth ynglŷn â llofruddiaeth Morgan Davies, is-reolwr Alun yn y chwarel, a deud y gwir. Mi gafwyd hyd i'w gorff o ben bore un diwrnod yn un o siambrau'r chwarel, ymhlith pentwr o gerrig oedd wedi syrthio. Mi oedd ganddo anafiadau difrifol i'w ben ac mi gymerodd yr heddlu i ddechra mai damwain chwaral oedd hi, ond mi ffeindiodd y patholegydd yn fuan iawn mai rhyw fath o arf oedd wedi'i daro fo, yn hytrach na'r creigiau. Ymosodiad ffyrnig, yn ôl y sôn. Mi fuon nhw'n chwilio'r ardal yn y lle cynta, rhag ofn bod rhywun diarth yn cuddio yn rwla, ond wedyn mi archwiliodd yr heddlu set o ffyn golff yn swyddfa Alun a chanfod bod 'na un ffon ar goll: y chweched haearn.'

'Ffyn golff?' ebychodd Seiriol. 'Fasa chwarelwr yng Nghymru wir wedi chwarae golff wyth deg o flynyddoedd yn ôl? Nid rwbath dosbarth canol a Seisnig i'w wneud fysa hynny?'

'Yn achos chwarelwr arferol, ella wir,' atebodd Branwen, 'ond mi oedd bob dim wedi newid ar ôl i Alun ddechrau gweithio yng Nghroesor yn yr ugeiniau cynnar. Mi oedd o wedi dod yn chwaraewr brwd iawn, yn ôl y sôn, er gwaetha'r anaf gafodd o yn y Rhyfel, ac yn arfer teithio i fyny i Gonwy i chwarae ar ddydd Sul, yn hytrach na mynd i'r capel.'

'Iesgob,' meddai Seiriol yn syn. 'Sut? Ma' Conwy dri chwarter awr i ffwrdd o fama hyd yn oed y dyddia yma... mewn car.'

'Mi oedd ganddo gar cwmni fel rhan o'i becyn cyflog.'

'Pecyn cyflog?' gofynnodd Seiriol. 'Bryd hynny?'

'Mi fasa wedi bod yn anodd iawn iddo deithio o Blaena i Groesor bob dydd fel arall, ac ynta'n rheolwr, cofia.'

'Ia, ond...'

'Wel, mi oedd hen, hen daid Katja'n gyflogwr blaengar, mae'n debyg,' meddai Branwen.

'Pa fath o gar oedd o?' gofynnais.

'Sut ddylwn i wybod? Ydy hynny'n bwysig?' gofynnodd Branwen.

'Sori.'

'Beth bynnag,' meddai, 'mi lwyddodd yr heddlu i brofi'n wyddonol mai chweched haearn oedd yn debygol o fod wedi achosi'r anaf marwol i Morgan Davies... ac er mai llac iawn oedd y dystiolaeth yn erbyn Alun, roedd yn ddigon i'r heddlu – ac i'r llys yn y pen draw. Mi oedd o wedi cael ei arestio am gydweithredu efo'r gelyn cyn i'r heddlu ddarganfod y ffyn golff, gyda llaw, ond doedden nhw ddim wedi gweld cysylltiad rhwng y ddau beth cyn hynny, mae'n debyg.'

'Pam gafodd Alun ei arestio yn y lle cyntaf?' holais.

'Achos ei fod o wedi ceisio dinistrio dogfennau,' atebodd Branwen.

'Ie, roedd hynny yn *Y Rhedegydd*,' meddwn, 'ond ym mha gyd-destun?'

'Deddf Masnachu efo'r Gelyn oedd y cyd-destun. Mae'r ddeddf honno mewn grym o hyd, creda neu beidio, ond mi gafodd hi'i phasio mewn dim o dro ddechra Medi 1939. O dan y ddeddf honno, mi gafodd goruchwyliwr ei benodi gan y Bwrdd Masnach i redeg Chwarel y Parc.'

'A pham hynny?'

'Oherwydd mi oedd dy hen, hen daid di, Katja, wedi cymryd rheolaeth yn gyfreithiol dros y chwarel ychydig ddyddiau ynghynt.'

'Sut oedd yr heddlu wedi cael gwybod hynny mor fuan?'

''Sgen i ddim syniad.'

'Oedd sôn am y peth yn ystod yr achos llys?'

'O, oedd. Mi oedd yr holl beth yn amheus tu hwnt yng ngolwg yr heddlu.'

'Argol, roedd yr holl wybodaeth ganddoch chi drwy gydol yr amser! Gallwn i fod wedi peidio â...'

'Mi wn i, Katja, ddrwg gen i, ond fel deudis i...'

'Mae'n iawn... wrth gwrs, mae'n iawn. Felly, beth ddigwyddodd wedyn?'

'Mi ymddangosodd y goruchwyliwr a gofyn i Alun ildio holl

ddogfennau busnes y chwarel. Mi ufuddhaodd o i ddechra, ond mi gafodd o'i ddal yn ceisio llosgi rhai papurau mewn basged sbwriel yn ei swyddfa wedyn.'

'Pa bapurau?'

'Wel, dyna'r peth – doedd neb yn gwybod ar y pryd. Doedd hi ddim yn bosib darllen yr un ohonyn nhw ar ôl iddyn nhw gael eu llosgi, heblaw am rai geiriau Almaeneg nad oedd neb yn medru gwneud na phen na chynffon ohonyn nhw. Ond mi oedd y llys o'r farn bod y dystiolaeth amgylchiadol yn erbyn Alun yn gryf iawn.'

'Ond a blediodd Alun yn euog i'r cyhuddiad hwnnw?'

'Naddo, mi blediodd yn ddi-euog i'r ddau gyhuddiad, a deud y gwir, ond mi wrthododd gynnig tystiolaeth am ryw reswm.'

'Ac ydych chi'n meddwl ei fod yn euog?'

'O gydweithredu efo'r gelyn, na. Ond o lofruddiaeth, ydw. Mi oedd Mam a Nain o'r un farn.'

'Beth oedd ei gymhelliad i lofruddio?'

'Blacmel, siŵr o fod.'

'Blacmel? Am beth?' Chefais i ddim ateb. 'Beth am y dogfennau, 'te?' gofynnais wedyn. 'Sut allwch chi fod mor siŵr nad tystiolaeth o ysb-... beth yw'r gair? ... o ysbïwriaeth oedden nhw?'

'Fedra i ddim bod yn siŵr, ond dwi'n meddwl mai personol oedden nhw. O natur sensitif.'

'Sensitif? Ym mha ffordd?'

'Seiriol,' meddai Branwen, 'dwi'n meddwl y bysa'n syniad i ti ddarllen y llythyr. Mae o'n cynnwys yr ateb i gwestiwn Katja... wel, rhan ohono fo, beth bynnag. Ond mi ddylwn i egluro'n gynta – rhyw fath o gyffes wely angau ydy hwn. Dyma'r llythyr olaf sgwennodd Alun at Rhian cyn iddo gael ei ddienyddio, creadur. Dychmygwch be oedd yn mynd drwy'i feddwl o ar y pryd. Beth bynnag, wnei di'i ddarllen o, Seiriol?'

Cymerodd Seiriol y llythyr o law ei nain ac agor yr amlen â'i fysedd crynedig.

'HM Prison Wakefield,' darllenodd Seiriol yn uchel yn ei lais melfedaidd. 'Nain, yn Lloegr gafodd Alun ei ddienyddio?'

'Ia, a'i gladdu... yn Wakefield.'

'Lle'n union?'

'Yn y carchar, yn unol â Deddf Dienyddiad o fewn Carchardai. Mi gafodd y ddeddf honno'i phasio rywbryd tua diwedd y bedwaredd ganrif ar bymthcg, os dwi'n cofio'n iawn. Beth bynnag, caria mlaen, os wnei di.'

'Iawn, sori,' meddai Seiriol a chlirio'i wddf.

'6ed Chwefror 1940.

Annwyl Rhian,

Mae fy nghalon cyn drymed â phlwm. Mi hoffwn ddiolch i ti o waelod calon am fynychu'r treial. Ni wn i sut y gallwn fod wedi dioddef y diheurbrawf hwnnw heb gael gweld dy wyneb di bob dydd o'r doc. Diolch hefyd am fod yn barod i ymweld â mi yn y celloedd ar ôl y dedfrydu. Mi ymddiheuraf am beidio ag ateb dy gwestiwn di yn iawn ar y pryd, ond roedd popeth yn ormod imi. Roeddwn yn meddwl fy mod i wedi cael gwared ar y llythyrau gythraul yna. Yn y swyddfa oedd y gweddill. Dyna yr hyn a losgais. Mae'n gas gennyf achosi poen i ti, ond mi wyt ti wedi gofyn i mi am ateb llawn, ac rwyt ti'n haeddu hynny. Roeddet yn iawn: llythyrau cariad ydynt, pa mor groes bynnag i natur y mae hynny yn ei ymddangos i ti. Mi ddyfalaist ti yn gywir pwy a'u hysgrifennodd nhw hefyd. Yn Almaeneg y maent, rhag ofn i rywun eu darganfod: ti, yn bennaf. Mi ysgrifennais lythyrau mewn ymateb yn Gymraeg am yr un rheswm. Mi ddechreuodd hyn oll bron i bymtheng mlynedd yn ôl, a bron i chwarter canrif yn ôl yn fy mhen, os wyf yn bod yn hollol onest, yn Fron-goch, pan ddysgais y Gymraeg iddo. Roeddet ti wastad yn ei amau, ac mi brofwyd dy reddf yn gywir, mewn ffordd. Mi fyddi di'n dweud bod y Rhyfel Mawr wedi caniatáu i seirff gael mynediad i Ardd Eden ac yr wyf wedi tramgwyddo yn erbyn gweddustra, mi wn. Ni oeddwn eisiau i hyn oll ddigwydd, ond digwyddodd serch hynny. Roedd fel cerdded ar grib a baglu. Yr wyf wedi bod yn gaeth i rym disgyrchiant ers hynny, ac ar fin taro'r ddaear. Ni pheidiais erioed â dy garu di, Rhian, na Gwenllïan na Geraint ychwaith, er gwaethaf popeth. Yr wyf am i ti ddweud hynny wrthynt. Ond ni ddymunaf i'r tri ohonoch alaru drosof ar ôl i mi fynd. Roedd y ddau yn haeddu tad llawer gwell. Mi haeddaist ti ŵr llawer gwell. Ymddiheuraf o waelod calon am y cywilydd enbyd yr wyf wedi ei godi arnoch, gyda blaenoriaid y capel a phawb arall yn y dref. Nid wyf yn deilwng o le yn y byd hwn. Yr wyf wedi eich bradychu chi i gyd i'r eithaf. Ond creda fi os gweli di'n dda: ni laddais neb erioed; ni gydweithredais erioed â gelyn ychwaith. Ac eto, yr wyf yn haeddu marw am y cam a wnes i â chi i gyd. Yr wyf wedi cymodi â rhaff y crogwr bellach. Yr wyf yn barod i gyfarfod y Creawdwr. Hwyl fawr i tithau, y plant a'r wyrion.

Mewn cariad tragwyddol,

Alun.'

Bu distawrwydd llethol ar ôl i Seiriol orffen darllen.

'Daeth Rhian ar draws y llythyrau 'ma yn y to,' meddai Branwen toc, wrth godi swp o amlenni o'r bocs.

'Ry'ch chi'n credu'r ffaith mai llythyrau cariad losgodd Alun yn ei swyddfa yn y chwarel felly?' gofynnais.

'Yndw,' atebodd Branwen.

'Ond dy'ch chi ddim yn credu'i stori ynglŷn â'r llofruddiaeth?'

'Wel, mi wnaeth o fethu â rhoi unrhyw esboniad.'

'Mi oedd Alun yn hoyw felly,' meddai Seiriol, wrth ddatgan yr amlwg.

'A Friedrich,' ychwanegais. 'Beth sydd yn y llythyrau, 'te?'

''Dan ni ddim yn gwybod, Katja.'

'Ar ôl yr holl flynyddoedd? Sut hynny?'

'Achos wnaethon ni ddim meiddio'u dangos nhw i neb.'

'Oherwydd mai rhwng dau ddyn hoyw oedd y llythyrau?'

'Wel, pwy a ŵyr be sydd ynddyn nhw? Doedd Nain na Mam na finna ddim yn medru ymddiried yn neb fyddai wedi'u dallt nhw.'

'Ond fe allwch chi ymddiried yndda i?'

'Ar ôl heddiw, medraf. Faswn i ddim wedi rhannu hyn i gyd efo chdi taswn i ddim yn teimlo felly, na faswn? Felly, wyt ti am gyfieithu'r llythyrau 'ma 'ta be?'

'Ydw, wrth gwrs, ond bydd hi'n cymryd amser. Mae tipyn ohonyn nhw.'

'Iawn, ond mae 'na chydig o frys.'

'Mae gen i dair wythnos nes i dymor newydd fy ysgol i ddechrau.'

'Ardderchog! Pryd wyt ti'n hedfan fory?'

'Yn gynnar iawn – pum munud ar hugain wedi saith.'

'Y bore?' gofynnodd Mair yn syn. 'Mi fydd yn rhaid i ti godi yng nghanol y nos!'

'Bydd, gwaetha'r modd, ond does dim dewis arall am bris call i hedfan yn uniongyrchol o Fanceinion i Frankfurt.'

'Mmm,' meddai Branwen yn feddylgar. 'Does dim digon o amser i wneud copïau i ti felly.'

''Sdim ots am hynny,' meddwn. 'Gall Seiriol eu sganio a'u e-bostio ata i. Mae fy nghyfeiriad e-bost ganddo, yn dyw e, Seiriol?'

'E? O, ydy,' atebodd Seiriol fel petai ei feddwl yn bell i ffwrdd.

'Dyna fo felly,' meddai Branwen yn gynhyrfus, fel plentyn ar noswyl Nadolig. 'Rŵan, Katja, be am i chdi daro golwg sydyn ar un o'r llythyrau rŵan?'

'Rŵan?' gofynnais, gan synnu wrth i'r gair gogleddol ddod allan o fy ngheg. 'Nawr?'

Nodiodd Branwen gyda gwên.

'Iawn, am wn i,' cytunais, 'ond mae'n anodd cyfieithu yn y fan a'r lle, yn enwedig i fy ail iaith. Bydd yn rhaid i chi i gyd gymryd hynny i ystyriaeth.'

'Paid â phoeni am fod yn fanwl gywir,' oedd ateb Branwen. 'Dim ond y petha pwysig sydd eu hangen. Seiriol, wnei di roi'r bocs i Katja, os gweli di'n dda?'

'Dyna ti,' meddai wrth bwyso dros y gofod rhwng y soffa a'r cadeiriau, yn ofalus i beidio edrych i fyw fy llygaid.

Teimlais frath o siom.

'Diolch,' atebais yn oeraidd.

Roedd wyth neu naw o lythyrau mewn amlenni melyn yn y bocs, i gyd ond un wedi'u hagor yn daclus gyfa llafn o ryw fath. Roedd yr amlen olaf yn dal wedi'i selio ac, yn wahanol i'r lleill, oedd â marciau post o ddauddegau a hanner cyntaf tridegau y ganrif ddiwethaf arnynt, yr ail o Fedi 1939 oedd y marc post ar y llythyr caeëdig. Cyflymodd fy nghalon.

'Branwen?'

'Ia?'

'Ga' i agor y llythyr hwn?'

'Wrth gwrs. Fel leci di.'

'Oes gen ti agorwr amlenni?'

'Nagoes, ond paid â phoeni. Dim ots gen i sut wyt ti'n ei agor.'

'Iawn.'

Teimlwn yn amharchus braidd wrth fynd ati i dorri'r cwyr selio, a falodd yn friwsion ar fy nghyffyrddiad cyntaf. Edrychais i lawr ar y llythyr nad oedd wedi gweld golau dydd am wyth deg o flynyddoedd, a'i dynnu'n dyner o'r amlen frau.

Darllenais yn uchel, 'Berlin, y 1af o Fedi, 1939. O, arhoswch eiliad!' Troais at Branwen. 'Ddywedoch chi mai yn y to y daeth Rhian ar draws yr holl lythyrau?'

'Wel...', meddai Branwen gan betruso, 'dyna o'n i'n feddwl...'

'All hynny ddim bod yn wir yn achos y llythyr hwn.'

'Na?'

'Na. Llythyr oddi wrth Friedrich at Alun yw e. Mae'n hynod o annhebygol y byddai Alun wedi peidio â'i agor petai e wedi derbyn y llythyr ei hun.'

'Am wn i...'

'Pryd gafodd Alun ei arestio?'

'Ddechrau mis Medi, hyd y gwn i.'

'Dyna ni, 'te. Mae'n rhaid bod y llythyr hwn wedi cyrraedd wedyn... ar ôl i'r heddlu fynd ag Alun i'r ddalfa. Rhaid bod Rhian wedi ychwanegu'r llythyr hwn at y lleill ei hun, felly. Ond pam ar y ddaear na wnaeth hi ei agor?'

'Does gen i ddim clem, Katja,' atebodd Branwen, 'ond wnei di gario mlaen i ddarllen rŵan?'

'Iawn, sori. Ta beth... sut ddylwn i wneud hyn? Yr Almaeneg yn gyntaf, dwi'n meddwl. Rhaid i fi ddod yn gyfarwydd â phopeth cyn dechrau'i gyfieithu, iawn?'

Rhedodd fy llygaid ar hyd y ddalen, a mwmialais y geiriau wrth ddarllen,

'Lieber Alun, vielen Dank für deinen Brief, doch wäre es mir lieber, wenn du davon absehen würdest, so formell zu schreiben. Keiner wird dein Walisisch verstehen! Und warum zum Teufel hast du den Brief mit, 'Yr eiddot yn ffyddlon iawn' enden lassen? Dass ich nicht lache! Keiner wird dahinter kommen, dass du ein Hundertfünfundsiebziger bist, egal was du schreibst! Viel schöner wäre es natürlich, wenn du mehr aus dem Herzen heraus schreiben würdest.

'O diar, mae hyn yn anodd. Felly, mae Friedrich yn diolch i Alun am ei lythyr, ond mae e'n cwyno am y ffaith ei fod e wedi sgwennu mewn ffordd mor ffurfiol. Mae e'n gwneud hwyl am ei ben, ac yn ei atgoffa o'r ffaith na fydd unrhyw un yn gallu deall ei Gymraeg beth bynnag. Mae e'n gwatwar y cyfarchiad ar ddiwedd y llythyr, sef "Yr eiddot yn ffyddlon iawn".'

'Wel, mae hynna *yn* ffurfiol,' cytunodd Mair, 'chwarae teg i Friedrich.'

'Mae Friedrich yn annog Alun i sgwennu o'r galon oherwydd na fydd neb yn darganfod mai... rhywbeth... yw e. O diar, sut mae mynegi hyn yn Gymraeg? Mae Friedrich yn dweud *Hundertfünfundsiebziger*, sef rhywun sy'n gysylltiedig â'r rhif 175. Reit, o 1871 tan 1994, credwch neu beidio, roedd 'na gymal yng Nghôd Cyfraith Trosedd yr Almaen o'r enw Cymal 175, yn datgan bod cyfunrywiaeth yn anghyfreithlon. Ond, wrth gwrs, roedd pethau wedi dechrau newid yn ymarferol ers y 60au hwyr...'

'Iesgob,' ebychodd Branwen, 'paid â malu awyr, Katja! Mae'n ddigon deud 'i fod o'n gadi ffan!'

'Cadi ffan?' gofynnais mewn penbleth.

'Ti'n gwybod... pansan.'

'Dydy hynna ddim yn wleidyddol gywir, Branwen!' ceryddodd Mair ei ffrind.

'Ella ddim, ond...'

'Sori,' eglurais, 'ond mae'n anodd.'

'Paid â gwrando arni,' meddai Mair, 'ti'n gwneud yn dda iawn, Katja.'

'Diolch, Mair. Ond wyddoch chi beth? Dwi newydd sylweddoli fod y llythyr gan Alun y mae Friedrich yn ei ateb yma gen i, ac mae'n hollbwysig i chi glywed cynnwys hwnnw'n gyntaf. Arhoswch eiliad, mae gen i gopi ar fy ffôn.' Sgroliais drwy'r lluniau i geisio'i ddarganfod. 'O, dyma fe... dyma'r hyn a sgwennodd Alun at Friedrich ar 21ain Awst 1939.

'Annwyl Friedrich,

Rwy'n ysgrifennu y llythyr hwn gyda chalon drom iawn.

Wn i ddim a fyddi di'n gallu maddau imi am fod mor fyrbwyll, ac am fy niffyg hunanddisgyblaeth, sydd wedi peryglu'r hyn yr ydym wedi bod yn gweithio tuag ato am flynyddoedd maith, a'r hyn yr ydym yn credu ynddo. Arnaf i mae'r bai i gyd am bopeth a fydd yn digwydd o hyn allan.

Rwy'n ofni na fydd pethau yr un fath eto. Rwy'n casáu fy hun gymaint, ac yn haeddu cael fy nghosbi. Yn wir, bydd y gosb yn siŵr o ddod cyn hir.

Gyda llaw, rwy'n deall dy benderfyniad yn llwyr bellach ac yn ymddiheuro am wrthod ei dderbyn. Ti ydy'r dyn busnes wedi'r cwbl. Rwyt ti wastad wedi gwybod beth sydd orau.

Yr eiddot yn ffyddlon iawn,

Alun.'

'Yr eiddot yn ffyddlon iawn? Dyna eironig!' ebychodd Mair. 'Doedd o ddim yn ffyddlon i Rhian nag i Friedrich, yn ôl pob golwg!'

'Lle ffeindiaist ti'r llythyr?' gofynnodd Branwen.

'Yn fflat fy mam yn Mannheim.'

'Dyna ryfedd. Be mae Friedrich yn ddeud yn ei ateb?'

Dychwelais at lythyr fy hen, hen dad-cu. 'Iawn, dyma'r pwt nesaf ... *und was meinst du damit, du hättest es verdient, bestraft zu werden? Ich war es, der diesen ekligen Scheißkerl unschädlich gemacht hat, nicht du!* Blydi hel. Mae Friedrich yn dweud taw fe sy'n haeddu cael ei gosbi achos taw fe laddodd yr is-reolwr. Mae Friedrich yn ei alw e'n gythraul ffiaidd.'

Roedd hi'n amlwg fod Branwen, Mair a Seiriol mewn sioc. Ddywedodd neb air, felly penderfynais fwrw ymlaen.

'*Und was meinst du mit Rücksichtslosigkeit und Unbeherrschtheit? Nach so einem Streit, wie wir ihn hatten, wollte auch ich mich mit dir versöhnen. Er hätte uns nicht hinter deiner Bürotür belauschen müssen, und vor allem hätte er dich nicht erpressen dürfen und dir damit drohen, deinem guten Ruf Schaden zuzufügen. Das hätte ich einfach nie zulassen können, weißt du?* Mae Friedrich yn anghytuno: dyw Alun ddim wedi bod yn fwy byrbwyll nac annisgybledig. Roedd Friedrich wedi bod yr un mor awyddus i gymodi ar ôl eu hanghydfod. Mae'n ymddangos i'r anghydfod hwnnw fod yn un eitha difrifol, gyda llaw. Ddylai e – sef yr is-reolwr, mae'n debyg – ddylai e ddim bod wedi clustfeinio y tu allan i ddrws swyddfa Alun. Hefyd, ddylai e ddim bod wedi blacmelio Alun a bygwth pardduo'i enw da. *Doch ist mir etwas sehr Wichtiges eingefallen, und ich hadere mit mir selbst, dass ich mir so einen dummen Fehler erlaubt habe. Ich habe den Golfschläger beseitigt, keine Sorge, doch musst du ihn durch einen neuen ersetzen, bevor der Polizei auffällt, dass er fehlt: das Sechsereisen, weißt du? Noch besser, beseitige den ganzen Satz!* Blydi hel! Ddrwg gen i, ond mae Friedrich yn dweud bod rhywbeth pwysig wedi dod i'w feddwl. Mae e'n dweud ei fod e'n cicio'i hun am wneud camgymeriad mor dwp. Mae e'n dweud "dwi wedi cael gwared ar y ffon golff, paid â phoeni, ond mae'n rhaid i ti brynu un newydd cyn i'r heddlu sylwi'i bod hi ar goll". Dyfalwch pa un – y chweched haearn.'

Ebychodd Mair.

'Yn wir, mae Friedrich yn dweud wedyn y dylai Alun gael gwared o'r set o ffyn i gyd, erbyn meddwl,' meddwn wedyn. 'Ta beth... *Ich habe es dir doch längst gesagt: Es kommt zum Krieg. Du hättest mir früher erlauben sollen, die Gesellschaft zu verkaufen. Das Bergwerk war zwar eine schöne Einkommensquelle für dich und eine noch schönere Fassade, hinter der wir unsere Beziehung verstecken konnten, doch hat es seinen Zweck längst erfüllt, so sehr ich deine Bedenken bezüglich Arbeitsplätze und der*

Bedeutung, die das Bergwerk für die örtliche Gemeinde Croesors hat,
auch verstehe. Wie gesagt, jetzt gibt es keine Chance mehr, die
Gesellschaft loszuwerden. Mae Friedrich yn cwyno'i fod e wedi
dweud wrth Alun y byddai 'na ryfel, ac y dylai Alun fod wedi
cytuno i werthu'r cwmni tra oedd cyfle. Mae'n rhy hwyr bellach,
mae e'n dweud. Roedd y chwarel yn ddefnyddiol fel ffynhonnell
incwm i Alun ac, yn anad dim, fel... beth yw'r gair Cymraeg?
Ie, fel mantell... mantell o barchusrwydd i guddio'u perthynas
y tu ôl iddi. Ond mae hi wedi gorffen atcb y galw hwnnw, er
cymaint y mae Friedrich yn deall pryderon Alun ynglŷn â
swyddi a chalon y gymuned leol yng Nghroesor.

'*Aber gut, deswegen geht die Welt schließlich nicht unter. Noch*
ist es nicht zu spät. Nun ist es an der Zeit, unser neues, gemeinsames
Leben anzufangen: Du weißt wo. Die Schlüssel hast du schon. Wir
reisen getrennt dorthin. Ich bin mir sicher, dass wir keine Minute
mehr verlieren dürfen. Ond nid diwedd y byd yw hyn. Dyw hi
ddim yn rhy hwyr. Dyma'r adeg i ni ddechrau'n bywyd newydd
gyda'n gilydd. Rwyt ti'n gwybod ble. Mae'r allweddau gen ti'n
barod. Bydd yn rhaid i ni deithio yno ar wahân. Nid oes eiliad
i'w cholli. *Wenn alle Stricke reißen und du mit der Polizei Ärger*
kriegst, lass diesen Brief übersetzen: Dann bist du aus dem Schneider,
zumindest was den Mord betrifft. Ich werde sowieso längst über alle
Berge sein! Os bydd rhaid, mae croeso i ti gael cyfieithu'r llythyr
hwn. Bydd e'n ddigon i dy ryddhau di o'r amheuaeth am y
llofruddiaeth, ac ni fydd modd i'r heddlu ddod o hyd i mi.

'*Vielleicht bedeutet der Krieg für uns auch Glück im Unglück.*
Wir können endlich damit aufhören, eine Lüge zu leben. Wir können
endlich wie ein echtes, altes Ehepaar leben: Kannst du dir das
vorstellen? Keiner wird uns mehr verbieten können, wir selbst zu
sein. Mae'n bosib mai bendith gudd fydd y rhyfel. O'r diwedd,
byddwn ni'n gallu peidio â byw celwydd. O'r diwedd, byddwn
ni'n gallu byw fel hen bâr priod go iawn. Wyt ti'n gallu
dychmygu? Ni fydd neb yn gallu'n gwahardd ni rhag bod yn...

sut mae dweud hyn? Rhag bod yn driw i ni'n hunain. *Es hat doch Spaß gemacht, nicht wahr? Erinnerst du dich noch an all die 'Geschäftsreisen' in Deutschland, insbesondere die schönen Tage in Berlin zum fünften Jahrestag des Anfangs unserer Beziehung? Na ja, es wurden natürlich auch Geschäfte gemacht!* Wyt ti'n cofio'r holl deithiau masnach – mewn dyfynodau – yn yr Almaen, yn enwedig pumed pen blwydd ein perthynas ym Merlin? Wel, masnachwyd hefyd wrth gwrs!

'*Was war mit der letzten Reise an die Müritz zum Beispiel? Das war zu köstlich, oder? Wie wir mittels jener Huren dem Nazi-Abschaum weißmachen konnten, dass wir richtig derbe Kerle sind? Der Zweck heiligt die Mittel, nicht wahr? Wie du weißt, seit Jahren geht ohne diese Blödmänner nichts mehr in diesem gottverlassenen Land: Keine Geschäfte, kein Leben, nichts! Nichts wie weg also, doch nur mit dir!* Beth am y daith ddiwethaf i Lyn Müritz, er enghraifft? Mae Llyn Müritz rhwng Berlin ac arfordir y Baltig, gyda llaw. Mmm, sut mae dweud hyn? Dim blasus, na. Roedd hynny'n bleserus, on'd oedd? Na, dyw pleserus ddim yn gyfieithiad da chwaith, ond fe a' i 'mlaen. Ie, roedd hynny'n hollol wych, on'd oedd? Y ffordd wnaethon ni werthu blawd i'r gwehilion o Natsïaid 'na... gyda'r puteiniaid hynny, gan esgus mai dynion go iawn ydyn ni. Ond mae'r diben yn cyfiawnhau'r modd, on'd yw e? Ers blynyddoedd maith, fel rwyt ti'n gwybod, nid oes modd gwneud dim yn y wlad gythraul 'ma heb y twpsod 'na: dim masnachu, dim bywyd, dim byd. Felly, ffwrdd â fi, ond dim hebddot ti.'

Plygais ymlaen er mwyn codi fy ffôn oddi ar y llawr unwaith eto.

'Drychwch ar y llun 'ma!' gorchmynnais.

Cododd Mair o'i chadair, a syllodd hi a Branwen ar y llun du a gwyn o Friedrich ac Alun yn sefyll ar y cei coblog yn Waren o flaen yr hen Mercedes 540K a'r cwch hwylio, wrth ochr y merched hanner noeth a'r ddau Natsi.

'Tarodd Seiriol ar y llun gwreiddiol yn yr atig,' eglurais.

'Na!' ebychodd y ddwy ddynes bron fel un wrth edrych ar Seiriol yn syn.

Ddywedodd Seiriol 'run gair.

'Am be wyt ti'n aros, Katja?' meddai Branwen yn ddiamynedd. 'Caria mlaen!'

'Iawn. *Du weißt ganz genau, dass ich ohne dich nicht leben kann.* Rwyt ti'n gwybod yn iawn nad ydw i'n gallu byw hebbdot ti. *Das wusste ich von dem Augenblick an, als ich dich zum ersten Mal im Gefangenenlager sah.* Ro'n i'n gwybod hynny cyn gynted ag y gwelais i ti am y tro cyntaf yn y gwersyll-garchar. *Ohne dich kann ich nicht glücklich sein.* Alla i ddim bod yn hapus hebddot ti. *Ich sitze auf gepackten Koffern und bin zum Aufbruch bereit. Ein Wort von dir genügt. Doch lass mich nicht zu lange warten.* Dwi'n eistedd ar fagiau wedi'u pacio. Byddai gair gen ti'n ddigon. Ond paid â gwneud i mi aros yn rhy hir. *Ich liebe dich. Friedrich.*

'Ry'ch chi'n deall y pwt olaf heb gyfieithiad, mae'n siŵr.'

Nodiodd Branwen a Mair yn araf, â dagrau yn eu llygaid.

Edrychai Seiriol fel petai wedi cael ysgytwad, ac roedd ei lygaid yntau'n llaith hefyd. Byddwn innau wedi teimlo'r un fath, yn enwedig gan i mi ddarganfod mai llofrudd oedd fy hen, hen dad-cu, pe na bawn i wedi bod yn canolbwyntio mor galed ar y cyfieithu.

Bellach, roedd Branwen yn beichio crio. Doedd dim cysuro arni, er gwaethaf ymdrechion Seiriol a Mair.

'Dwi wedi bod mor wirion!' ebychodd hi dan wylo. 'Dwi wedi camddallt bob dim yn llwyr am ddegawdau... ers y cychwyn cynta!'

'Ty'd,' meddai Mair, 'dim dy fai di ydy o. Allet ti ddim bod wedi'i achub o.'

'Ella ddim, ond dwi wedi meddwl amdano fo fel llofrudd ar hyd y blynyddoedd, ac wedi'i alw fo'n llofrudd sawl gwaith... ond dim ond caru rhywun, a phriodi'r person anghywir wnaeth

o. Dwi wedi bod mor hunangyfiawn, ond do'n i'n gwybod dim!'

Roedd Seiriol wedi dechrau wylo bellach, dagrau mud a lifai i lawr ei ruddiau a gwlychu'i farf. Codais yn reddfol, a syrthio ar fy mhengliniau er mwyn ei gofleidio.

'Dere,' sibrydais. 'Mae'n iawn. Bydd popeth yn iawn. Ti sydd wedi dod â hyn oll i'r amlwg. Ti sydd wedi llwyddo i glirio enw dy hen, hen dad-cu.'

Roedd yn wylo ar fy ysgwydd bellach nes bron â thorri ei galon.

'Na, Katja, ti wnaeth... ti wnaeth bopeth.'

Yn ddisymwth, dyma Branwen yn tawelu'i hun a throi at ei hŵyr.

'Drycha arna i, 'machgen i,' meddai'n bendant, a thynnais yn ôl oddi wrtho. 'Nid fy lle i ydy deud hyn, ond mi wna i ei ddeud o p'run bynnag. Ti'n dwpsyn, blydi twpsyn! Ti'n gwybod hynna?'

'Be?' atebodd Seiriol yn ddryslyd.

'Mi wyt ti wedi bod yn trin Katja fel baw pnawn 'ma, a hynny ar ôl i ti dreulio'r noson efo hi neithiwr. Be sy'n bod arnat ti? Katja ydy'r peth gora sy erioed wedi digwydd i ti, er mwyn Duw. Dim ond rhywun ar dy fraich di oedd Glain, i brofi pwynt, ond dydy hi ddim yn iawn i ti – a dwyt titha ddim yn iawn iddi hi. Gad iddi fynd. Wna i byth faddau i ti os na chymri di'r cyfle yma!'

Allwn i ddim credu fy nghlustiau.

Trodd Seiriol ataf. 'Dwi'n teimlo fel taswn i wedi rhoi fy llaw yn y tân.'

'Gad iddi losgi,' sibrydais.

'Fedra i ddim,' atebodd yn dawel. 'Glain...'

Wnaeth o ddim gorffen y frawddeg, ond roedd e eisoes wedi dweud y cyfan.

Pennod 27

19:18, nos Sadwrn, 24ain Mehefin 1939.

Gransee, yr Almaen.

'Mae hi mor brydferth yma,' meddai Alun yn freuddwydiol wrth i ni gerdded ochr yn ochr ar hyd y droedffordd ar lan y llyn bach, 'ac mor llonydd.'

Roedd tes euraid yn yr awyr gynnes wrth i bryfed ddawnsio ar wyneb y dŵr, ac wrth i'r gwenoliaid blymio ac ymgodi'n fesmerig. Doedd dim chwa o awel i anwesu dail gwyrddlas y coed wrth ymyl y llwybr. Yn wir, roedd fel petai amser wedi sefyll yn stond, a ninnau yr unig bobl ar ôl ar y ddaear.

'Mi oedd yn syniad rhagorol stopio yma,' meddai yn ei lais melfedaidd. 'Wyt ti'n siŵr y bydd y car yn iawn wrth ymyl y briffordd fel'na?'

'Ydw, paid â phoeni. Mi fydd bob dim yn iawn.'

Roeddem wedi torri'n taith yn ôl i Berlin ar ôl treulio sawl awr yn hwylio ar Lyn Müritz yng nghwmni Sturmscharführer Walter Werz a Gruppenführer Hermann Seidenglanz, fy nghysylltiadau agosaf yn y Schutzstaffel a'r Sturmabteilung, heb sôn am Lotte a Greta, y merched roeddem wedi'u gollwng yn Strelitz ar y ffordd adref. Cawsai'r ddwy eu talu'n hael iawn am brynhawn hawdd ond peryglus o waith yn esgus bod yn gariadon i ni. Wedi dweud hynny, doedd dim llawer nad oedd yn beryglus yn yr Almaen Natsïaidd bellach. Roedd hi'n gasgen bowdwr ar fin ffrwydro.

'Mi o'n i'n arfer dŵad â Bertha yma, yn y dyddiau pan oeddan ni'n dal i siarad efo'n gilydd.'

'Fasat ti'n medru'i gadael hi? Wir?' gofynnodd Alun.

'Mewn chwinciad,' atebais yn bendant, ond wnes i ddim gofyn a fuasai o'n barod i adael Rhian rhag ofn i mi gael ateb na allwn ddelio ag o.

Yswn am blethu fy mysedd rhwng ei rai o, ond roedd gan y coed lygaid y dyddiau hyn; hyd yn oed mewn llecyn hudol fel hwn, roedd yn rhaid i mi f'atgoffa fy hun fod pob hud yn dwyllodrus. Ers dwy flynedd bellach roedd gan y Gestapo'r hawl i roi dynion dan glo heb gyhuddiad. Roedd amheuaeth o fwriad i gyflawni gweithred gyfunrywiol yn ddigon... Duw a'n gwaredo! Am ieithwedd adweithiol a hyll. 'Carchariad ataliol' oedd y term gan Heddlu'r Meddwl.

'Rhaid dy fod ti'n sylweddoli bellach bod y wlad 'ma'n barod i ryfela,' rhesymais, 'yn enwedig ar ôl i ti weld efo dy lygaid dy hun heddiw beth sy'n mynd ymlaen i fyny yn Waren. Fel y dywedais o'r blaen, mi gafodd pob agwedd o dwristiaeth o amgylch Llyn Müritz ei gwahardd ddwy flynedd yn ôl er mwyn i'r ardal i gyd gael ei neilltuo ar gyfer gweithgarwch milwrol. Dwy flynedd! Pam hynny, ti'n meddwl? Dim ond diolch i fy nghysylltiadau yn y Blaid, yr SS a'r SA dwi'n cael caniatâd i gadw fy nghwch hwylio ar y llyn o hyd. Mae gwersyll y Llynges yn Warenhof, hyd yn oed, erbyn hyn.'

'Dwi wedi clywed bod gan Hitler gynllun pum mlynedd ar gyfer y Llynges.'

'Paid â chael dy dwyllo gan air o'r rwtsh 'na. Mae olwynion y peiriant rhyfel wedi hen ddechrau troi.'

'Dwi ddim yn hapus dy fod ti yn y Blaid, Friedrich,' meddai Alun, gan anwybyddu fy sylw blaenorol.

''Dan ni wedi bod trwy hyn, Alun. Mae'n rheidrwydd arna i. Dyna sut mae petha'n gweithio yma rŵan... ond tydy bod yn aelod yn golygu dim. Mae'n rhaid creu'r argraff o... *politische Zuverlässigkeit*... cadernid gwleidyddol.'

'Dwi'n gwybod beth yw *politische Zuverlässigkeit*, ond mi fasa'n well gen i tasan ni ddim wedi treulio amser yng nghwmni erchyll y Natsïaid atgas 'na heddiw, fel tasan ni'n gyfeillion.'

''Dan ni wedi trafod hynny hefyd. Does dim dewis ond cynffonna. Tasa'r cwmni ddim yn cael ei eithrio rhag talu tollau amddiffynnol y Natsïaid, fasa ganddon ni ddim ceiniog o elw. Allen ni ddim allforio i'r Almaen, hyd yn oed, heb osgoi'r cwotâu chwaith. Ac mae 'na bris i'w dalu am hynny i gyd.'

'Ia, ond pa bris, bellach?'

'Yr un peth ag erioed. Dim ond chwarae'r gêm... smalio, fel y gwyddost ti. Gwneud iddyn nhw feddwl ein bod ni fel nhw.'

'Fel nhw? Maen nhw'n casáu pawb. Maen nhw'n erlid pawb... Iddewon, Negroaid, Comiwnyddion, sipsiwn ... ni, yn anad dim, ni! Mi wnaeth hynny godi croen gŵydd arna i heddiw. Mi wyt ti'n gwybod yn iawn beth fasan nhw wedi'i wneud efo ni tasan nhw wedi darganfod be ydan ni! Ein certio ni i ffwrdd i wersyll crynhoi. Ein *hailaddysgu* ni. Tydy'r carcharorion triongl pinc ddim yn dŵad allan yn aml iawn, nac'dyn?'

'Ond, Alun, dwi'n eu nabod nhw... Walter a Hermann. O dan eu lifrai, dim ond dynion ydyn nhw. Maen nhw'n iawn.'

'Iawn? Be ti'n feddwl, *iawn*?'

'Faswn i byth wedi mynd â ti i berygl, na faswn? Mae'n ddrwg gen i os wyt ti'n meddwl i mi wneud hynny, ond wyddwn i ddim beth arall i'w wneud. Mi wyt ti'n dal i wrthod cydnabod y gwir – y ffeithiau. Mae rhyfel yn dŵad dros y bryn, ond dyma ti'n cuddio dy ben yn y tywod. Mae'n rhaid i ni gau'r chwarel... rŵan. Wel, yn fuan beth bynnag. Mi fasa hi wedi bod yn well gwerthu'r busnes yn gynharach eleni, fel yr awgrymais i, ond dwi'n awyddus i osgoi mynd i golled am fwy o rent, o leia. Mi wyt ti'n gwybod bod gan y cwmni opsiwn i dorri'r brydles, yn dwyt?'

'Ydw. Mae o leia bum munud ers y tro diwetha i ti grybwyll hynny.'

'Paid â bod fel'na. Ta waeth, fel rwyt ti'n gwybod hefyd, mae'r brydles yn gorffen ddiwedd mis Awst. Ar ôl hynny, mi fydd hi'n rhy hwyr... pum mlynedd arall! Mi fasa'n well gweithredu cyn gynted â phosib, a deud y gwir... ond gen ti mae'r cyfranddaliadau i gyd.'

'I gyd? O, fel'na mae hi, ia? Ddylsat ti ddim bod wedi'u rhoi nhw i mi yn y lle cynta! Wel, does dim yn dy stopio di rhag fy ngwthio i allan o'r ffordd a defnyddio dy gyfranddaliad euraid di, nag oes!'

'Dwi ddim isio gwneud hynny.'

'Pam lai? Mae croeso i ti wneud!'

'Dwi wir ddim isio,' ailadroddais. 'Dwi am i ti weld be sy'n digwydd o flaen dy drwyn di. Faint o dystiolaeth wyt ti isio? Mae'r Almaen wedi cydio yn Awstria yn barod.'

'Wel, gwlad Hitler ydy Awstria. A be am Gytundeb Munich?'

'Dydy Hitler ddim yn parchu cytundebau! A gyda llaw, mae o wedi torri'r cytundeb hwnnw'n barod – drycha beth wnaeth o yn Bohemia a Morafia-Silesia fis Mawrth! Dydy *appeasement* ddim yn gweithio efo pobl fel fo... dim ond trais mae o'n ei ddeall, gwaetha'r modd.'

'Ddrwg gen i, Friedrich, ond os wyt ti isio cau'r chwarel, rhaid i ti wneud hynny dy hun.'

'Iawn. Be am i ti fod yn onest efo fi, 'ta?'

'Yn onest efo chdi?'

'Ia. Dwyt ti ddim isio gadael Rhian, nag wyt? Dyna'r gwir amdani. Mae'r oedi yn eitha cyfleus i ti.'

'Dydy hynna ddim yn deg. Be arall wyt ti isio i mi 'i wneud i brofi i ti... ond dim tan fydd yr amser yn iawn.'

'Ond fydd yr amser byth yn iawn. Mi fydd ein breuddwyd ni wastad yn y dyfodol – yfory ac yfory ac yfory!'

'Na fydd, Friedrich. Ryw ddydd... bydd yn amyneddgar.'

'Dwi wedi bod yn fwy nag amyneddgar, Alun! Dwi wedi bod yn aros amdanat ti ers blynyddoedd maith!'

'Ond,' aeth Alun yn ei flaen gan anwybyddu fy ngeiriau unwaith eto, arfer fyddai wastad yn fy nghythruddo i, 'yn y cyfamser, fedra i ddim rhoi'r dynion allan o waith. Mae ganddyn nhw deuluoedd i'w bwydo.'

'Hyd yn oed Morgan? Does ganddo *fo* ddim teulu, ac mi wyt ti'n ei gasáu o!'

'Hyd yn oed Morgan.'

'Anghredadwy! Drycha, Alun, mae'n hamser ni ar ben. Rhaid i ti benderfynu rŵan.'

'O, ein hamser ni ar ben? Ai rhybudd ola ydy hwnna, Friedrich?'

Teimlais wefr o banig. Roeddwn wedi mynd yn rhy bell unwaith yn rhagor.

'Na, wrth gwrs, nac ydy!' meddwn yn gymodol. 'Ein hamser ni yn y chwarel, dyna dwi'n ei olygu.'

'Mmm,' oedd ei unig ateb.

Fe barhaon ni i gerdded i lawr y llwybr hafaidd am funud neu ddau mewn distawrwydd ar wahân i sŵn ein traed ar y cerrig mân a'r pryfed tân yn canu yn yr isdyfiant.

'Fedra i ddim diodda mwy o hyn,' meddwn o'r diwedd ar ôl i mi stopio'n ddisymwth a throi i'w wynebu. 'Ty'd... ty'd yma.'

Cymerais ei ddwy law yn fy rhai i ac edrych i fyw ei lygaid hardd, llygaid y medrwn nofio ynddyn nhw.

'Ond be os fydd rhywun yn ein gweld ni?'

'Ty'd,' ailadroddais wrth roi fy mreichiau am ei wddf. 'I gythraul ag amynedd. Allwn ni ddim cuddio yn y cysgodion am byth.'

Pennod 28

06:55, fore Mercher, 7fed Awst 2019.

Lolfa ymadael Maes Awyr Manceinion.

'This is the final call for EasyJet flight number EZY7305 to Frankfurt. Will all remaining passengers travelling on this flight please proceed immediately to gate 15, where boarding is in progress. This gate will close in ten minutes,' cyhoeddwyd yn ffurfiol ac oeraidd dros uchelseinyddion Terfynfa 1.

Roeddwn wedi blino'n lân ar ôl gorfod codi am hanner awr wedi tri a gadael Blaenau Ffestiniog am bedwar o'r gloch yn y tywyllwch, a phrin y gallwn godi o'm sedd ger siop ddi-doll Biza. Yn wir, dim ond pedair awr o gwsg gefais i dros ddwy noson – a dyw diffyg cwsg erioed wedi cytuno â mi. Profais deimlad o anobaith dwfn wrth basio'r arwydd 'Welcome to England' am hanner awr wedi pump, ychydig cyn iddi wawrio. Gwyddwn yn iawn y byddai misoedd, os nad blwyddyn gyfan, yn mynd heibio cyn i mi allu dychwelyd i Gymru.

Roeddwn wir angen ysgwyd fy hun allan o fy syrthni rywsut. Edrychais i lawr ar fy *croissant* cardfwrdd a'm coffi du, di-flas heb frwdfrydedd nag archwaeth. Ystyriais estyn am fy sbectol haul i amddiffyn fy llygaid rhag y goleuadau llachar, didrugaredd, ond pendefynais beidio. Byddai'n waeth petai gen i ben mawr, ystyriais, ac i Amélie a Fernanda roedd y diolch am hynny. Heb eu dylanwad hwy, byddwn wedi hen anghofio am bwyll, a boddi fy ngofidiau mewn fodca yn y Bar Syched ar ôl sesiwn Podlediad Clera yn y Babell Lên y noson cynt ar ôl dychwelyd i Faes yr Eisteddfod. Anodd oedd wynebu'r byd yn sobor ar ôl popeth a oedd wedi digwydd yn ddiweddar. Dylwn fod wedi gwrando ar fy ngreddf a pheidio â chaniatáu i neb ddod mor agos ataf. Roeddwn wedi bod yn hawdd fy mrifo ar ôl colli Mam ac wedyn Karsten. Dylwn fod wedi prosesu hynny oll yn iawn yn gyntaf, yn hytrach na rhoi halen ar fy mriw cignoeth fy hun.

'It's bloody great now Boris is t'new PM i'nt it,' meddai dyn canol oed â chorun moel oedd yn eistedd wrth y bwrdd nesaf. Roedd ymhell dros ei bwysau, sefyllfa oedd yn cael ei phwysleisio gan ei grys pêl-droed Lloegr oedd yn beryglus o dynn dros ei fol anferth. Ochneidiais yn fewnol wrth i mi gofio mai fy nghrys pêl-droed Cymru oedd amdanaf, gan mai hwnnw oedd y dilledyn lleiaf drewllyd yn fy nghês.

'Now we can go back to being the fookin' British Empire!' meddai drachefn mewn acen a hanai o ogledd-ddwyrain Lloegr.

'Yeah, too right!' cytunodd ei gyfaill Cocni oedd, mewn gwrthgyferbyniad llwyr, yn fain fel llinyn trôns; a drachtiodd y ddau o'u peintiau lager.

Trodd y dyn o Swydd Efrog ataf i, fel roeddwn wedi bod yn ofni.

'You wanna change your shirt, luv, and get a proper one like mine! Yous lot were shite in the World Cup qualifiers... and yer not doin' too much better in the Euros, are ye? You want me to help you out of it, luv?' meddai'n awgrymog.

Chwarddodd y dyn Cocni'n anllad, a gwneud llygaid gafr arnaf.

'Tantalising though your offer is, I think I'll stick with my national shirt, thanks.'

'That's funny, luv,' meddai'r dyn o Swydd Efrog yn swta. 'I aven't 'eard too many Welsh internationals with an accent like yours.'

'And I haven't seen too many England internationals with a gut like yours.'

'Boom!' meddai'r Cocni wrth bwnio stumog ei gyfaill corffog. 'Out-bantered, my son!'

Gwgodd y dyn blonegog.

'Well, this has been tremendous fun,' meddwn, 'but I have a flight to catch.'

Rhedodd llif o adrenalin drwy fy ngwythiennau o ganlyniad i'r herio digymell, a rhoddodd hwnnw'r egni angenrheidiol i mi i godi fy mag teithio a brasgamu'n chwim i gyfeiriad y giât briodol. Taflais gipolwg ar fy oriawr a chael fy nychryn: pum munud wedi saith! Yn ôl y cyhoeddiad, roedd giât 15 i fod i gau'r eiliad honno. Gallwn fethu fy hediad yn llwyr! Dechreuais redeg ar hyd y dramwyfa lydan, heibio i gasgliadau o deuluoedd, twristiaid â phobl busnes oedd yn aros i fynd ar fwrdd yr awyrennau y gallwn eu gweld yn sefyll yn rhesi ar y tarmac. Giât 3, giât 4, giât 5... waeth pa mor gyflym y rhedwn, ni chynyddai rhifau'r giatau'n ddigon cyflym. Trawodd fy mag teithio'n boenus yn erbyn ochr fy mhen-glin fwy nag unwaith, a diferai chwys oer i lawr fy nhalcen. Rhaid bod golwg ofnadwy arnaf. Giât 9, giât 10, giât 11... petawn i wedi dihuno o'm swyngwsg bum munud yn gynt, byddai popeth wedi bod yn iawn. Giât 13, giât 14 ... bu bron i mi faglu yn fy mrys gwyllt.

O'r diwedd, gwelais yr arwydd â rhif 15 arno, ond roedd yr holl seddi o'i gwmpas yn wag. Yn wir, nid oedd affliw o neb yno, ar wahân i un o staff EasyJet a oedd yn amlwg yn ddrwg ei thymer.

'Are you on the Frankfurt flight?'

'Yes,' ebychais, yn fyr fy ngwynt.

'You're lucky – I was about to close the gate. Passport and boarding card, please.'

Gosodais fy mag teithio ar y llawr yn glep ac ymbalfalu am y dogfennau yn fy mag llaw.

'There you are. Sorry.'

'Right,' meddai hi wrth roi'r cyfan yn ôl i mi, 'on you go. Down that way, please.'

Camais ar hyd twnnel byr a arweiniai'n uniongyrchol at ddrws yr awyren.

'Good morning,' meddai stiwardes dal, benfelen â gormod o golur a minlliw coch, llachar. 'Boarding card, please. Thank you. Seat A2. You're here in the front row... row A. There should be just enough room in that overhead locker there for your cabin bag. Do you want me to put it up there for you?'

Yn amlwg, daethai i'r casgliad na fyddwn i'n llwyddo i gyrraedd y locer, hyd yn oed ar flaenau fy nhraed.

'Thanks, that's very kind of you.'

Syrthiais yn swp i'm sedd rhwng dau berson yn eu chwedegau na allen nhw fod yn fwy gwahanol i'w gilydd: dynes esgyrnog, a'i gwallt llwyd yn dynn am ei phen yn sedd A1 wrth ddrws yr awyren, a dyn â gwallt brown seimllyd yn sedd A3 a oedd mor fawr fel na allwn osgoi cyffyrddiadau hynod annifyr â rhannau helaeth o'i gorff drewllyd, chwyslyd, hyd yn oed wrth i mi wyro i'r ochr arall.

O fewn dim, dechreuodd y ddau basio amrywiol wrthrychau'n ôl a blaen i'w gilydd ar fy nhraws fel petawn i'n ddodrefnyn wedi'i ollwng mewn lle anhwylus: creision, hancesi papur, melysion a chylchgronau, ymysg pethau eraill. Fe gollais fy amynedd o'r diwedd.

'I'd be happy to swap with one of you so you can sit together,' cynigiais.

'Oh no,' atebodd y ddynes lem, 'no, thank you very much. We always book seats 1 and 3 on purpose.'

Digon dealladwy, meddyliais yn chwerw, gan nad oeddwn innau'n awyddus i eistedd wrth ochr ei gŵr atgas hi chwaith!

'Good morning, ladies and gentlemen,' meddai peilot yr awyren dros yr uchelseinydd. 'This is Dan, your captain, speaking. I'd like to welcome you aboard this early morning flight to Frankfurt, where the weather is currently much more agreeable than it is here in Manchester. In fact, they're looking at a high of twenty-three degrees centigrade in Frankfurt this afternoon. Taking care of you this morning will be Karen and Jemima. Many apologies for the slight delay in our departure. We're just waiting for one final passenger and then we'll be on our way.'

Ochneidiodd y ddynes wrth fy ymyl a pharhau i bwdu am sbel ddrybeilig o hir.

'Bloody inconsiderate people!' cytunodd ei gŵr gordew wrth basio crystiau ei frechdan ar fy nhraws i'w wraig denau. Rhyw fath o ddeiet amgen, tybed?

Sylwais ar symudiad wrth y drws ychydig droedfeddi i'r chwith o'm sedd, ac ymddangosodd person hynod o gyfarwydd, ond hynod o annisgwyl – yn llawn cynwrf ac yn chwys i gyd. Person heb fag, nad oedd wedi newid ei ddillad na chysgu am ddau ddiwrnod, mae'n debyg.

Llamodd fy nghalon, ond doeddwn i ddim am wneud hyn yn hawdd iddo. Tynheais bob gewyn yn fy nghorff a rhythu'n oer arno.

Ond er gwaethaf hynny, ymlaciodd ei wyneb yn wên cyn gynted ag y gwelodd fi.

'Katja!' meddai. 'Diolch byth!'

Doedd hi ddim yn fwriad gen i ei ateb yn syth beth bynnag, ond daeth y stiwardes rhyngom ni, yn benderfynol o gau'r drws.

'Excuse me, sir,' meddai'n daer. 'Boarding card, please.'

Estynnodd y dyn tal, barfog, oedd wedi'i wisgo mewn du, gerdyn byrddio iddi.

'F6, six rows down on the left. Take your seat directly, please, sir. We don't want to miss our take-off slot.'

'Please,' ymbiliodd Seiriol, 'I don't want to fly. I just need two minutes with this lady.'

'Pardon?' meddai'r stiwardes, yn fyr eithriadol ei thymer bellach. Trodd ataf i. 'Do you know this gentleman?' gofynnodd yn siarp. 'Are you willing to speak to him?'

Nodiais.

'Fine, but we don't have two minutes,' meddai wrth Seiriol. 'What's your business with this lady?'

'I want to ask her to marry me.'

Yn syth, roedd sibrydion i'w clywed ymhlith rhai o'r teithwyr yn y rhesi blaen.

Cododd y stiwardes ei golygon tua'r nenfwd. Roedd yn amlwg ei bod ar fin wfftio at gais Seiriol pan ganodd y ffôn mewnol oedd ar y wal y tu ôl iddi, wrth ddrws caban y peilot.

'Yes,' meddai ar ôl codi'r ffôn a gwrando am ychydig eiliadau. 'Yes, he's just come on board.' Gwrandawodd ymhellach ac wedyn dweud, 'OK then, thanks.'

Ailosododd y ffôn yn glep yn ei grud, a throi at Seiriol. 'Right,' meddai, 'we're being held here temporarily. So you've got five minutes, max, OK? After that, I must ask you either to take your seat or to leave the aircraft.'

Wrth i'r stiwardes fynd ati i gyhoeddi'r oedi pellach dros yr uchelseinydd, sylweddolais fod angen i mi ymateb.

Dad-glipiais fy ngwregys a chodi o'm sedd i'w wynebu.

'Ti eisiau fy mhriodi i, felly?' gofynnais gyda thinc drygionus yn fy llais, er bod fy nghalon yn rasio. Roedd yn rhyddhad na fyddai neb arall ar yr awyren, mwy na thebyg, yn gallu deall ein sgwrs.

'Wel,' meddai Seiriol yn wylaidd, a gyda gwên ansicr, 'roedd yn rhaid i mi ddeud rwbath i brynu dau funud!'

'O,' meddwn yn ffug siomedig.

'Gwranda, Katja. Dwi'n gwybod y bydd hyn yn swnio'n wirion ar ôl cyn lleied o amser, ond y peth ydy... fedra i ddim gadael i chdi fynd...'

'Gadael i mi fynd?' torrais ar ei draws.

'Ia, wel, heb ddeud wrthat ti...'

'Dweud beth?'

'Dwi erioed wedi cyfarfod unrhyw un fel chdi o'r blaen. Ti'n berffaith... i mi, beth bynnag. Ti mor ddiddorol, a chlyfar, chwim dy feddwl, dewr, anorchfygol... a ti'n dlws ofnadwy hefyd, a...'

'Caria 'mlaen.' Doeddwn ddim am atal ei lif. Pwy fyddai, yn fy lle i?

'Fedra i ddim stopio meddwl am y noson o'r blaen... dwi erioed wedi cael profiad tebyg. Dwi'n meddwl bod 'na rwbath arbennig rhyngddon ni. Fedra i ddim diodda'r syniad o orfod treulio gweddill fy mywyd yn breuddwydio amdanat ti.'

'Wel...'

'A pheth arall,' ychwanegodd Seiriol yn chwim, 'mae'n wir ddrwg gen i am bnawn ddoe. Mi oedd bob dim yn ormod i mi.'

'Iawn... ond beth am Glain?'

'Mi wnaethon ni orffen neithiwr... wel, am ddau o'r gloch y bore 'ma, a deud y gwir.'

'Yn ddi-droi'n ôl?'

'Ia, am byth, dwi'n addo.'

'Beth wyt ti eisiau felly?'

'Dwi isio i chdi ddod oddi ar yr awyren 'ma... efo fi.'

'Pam?'

'I ddod yn ôl efo fi i Blaena ac aros efo fi... am sbel, nes y byddi di'n gorfod mynd yn ôl i dy waith.'

'Wel,' meddwn, 'hyd yn oed petawn i'n gwneud hynny, beth am fy magiau yn yr howld?'

'Does gen ti ddim bagiau yn yr howld,' atebodd Seiriol gan wenu.

'A sut wyt ti'n gwybod hynny?'

'Achos ti'n casáu carwselau bagiau!'

'Ydw?'

'Wyt. Ti wastad yn hedfan efo bag bach yn y caban yn unig.' Mae'n rhaid fy mod yn wên o glust i glust bellach, wrth sylweddoli mai dyfynnu fy ngeiriau i fy hun oedd Seiriol. Allwn i ddim ymatal am eiliad arall. Taflais fy mreichiau am ei wddf a'i gusanu, a chymeradwyodd rhai o'm cyd-deithwyr, gydag ambell 'hwrê!'. Doedd gen i ddim taten o ots.

'Sut wnest ti gyrraedd y maes awyr?' gofynnais wedyn mewn anghrediniaeth. 'A chael tocyn?'

'Mi ddaeth Dad â fi yn y car, ac mi brynais i docyn ar fy ffôn ar y ffordd pan wnes i sylweddoli y basan ni'n cyrraedd y maes awyr yn rhy hwyr i dy ddal di cyn i ti fynd drwy'r broses ddiogelwch.'

'Dy dad? Ble mae e nawr?'

'Yn y maes parcio arhosiad byr. Efo Nain.'

'Mae dy nain yma hefyd?' Ni allwn beidio â gwenu. 'Pam na wnest ti anfon neges ata i?' gofynnais wedyn, 'byddai hynny wedi bod yn haws!'

'Ti'n iawn... mi wnes i feddwl am hynny, a deud y gwir, ond ar ôl ddoe do'n i ddim yn siŵr... do'n i ddim yn meddwl y basa hynny'n ddigon i dy argyhoeddi di. Mi oedd yn rhaid i mi brofi i ti 'mod i o ddifri.'

'Gallet ti fod wedi dod i'r gwesty hefyd.'

'Na, fedrwn i ddim. Erbyn i mi a Nain ddeffro Dad, mi oedd hi'n rhy hwyr yn barod.'

'O.'

'Wel, be amdani, Katja? Be am roi cyfle i ni – chdi a fi – a gweld sut aiff petha?'

'Ti'n barod i losgi dy law?'

'Ydw, yn bendant.'

'Look, I'm sorry to hassle you,' meddai'r stiwardes, 'but are you saying yes?'

'Maybe,' atebais, wrth roi winc ar fy nghariad newydd.

Pennod 29

22:34, nos Wener, 20fed Ebrill 1945.

Fflat llawr uchaf Friedrich von Hertling, Alexanderplatz,
Berlin, yr Almaen.

Annwyl Alun,

Rydw i'n ymddiheuro am ysgrifennu yn Almaeneg eto,
ond anodd yw colli hen arfer, ac mae'n ddigon posib
mai hwn fydd fy llythyr olaf atat ti. Ymddiheuriadau
hefyd am yr oedi mawr ers fy llythyr diwethaf fis yn ôl,
ond mae pethau wedi bod yn dechrau poethi go iawn
yn Berlin yn ddiweddar. Wn i ddim pam fy mod i'n
rhoi'r geiriau ar bapur, a dweud y gwir, a tithau yma ar
f'ysgwydd yn dragwyddol i glywed fy holl feddyliau,
ond mae'r weithred o eistedd i lawr i'w cofnodi yn
gysur i mi, er y gwn na chaf air yn ôl.

Mae'n Führer gogoneddus ni wedi bod yn dathlu'i
ben blwydd yn 56 oed heddiw, ac mae o mor boblogaidd
fel bod ei gyfeillion yn y dwyrain ac yn y gorllewin wedi
trefnu digwyddiad arbennig ar y cyd i'w anrhydeddu:
arddangosfa tân gwyllt heb ei hail. Wrth i mi edrych
allan drwy'r ffenestr, mae Alexanderplatz i gyd yn cael
ei oleuo fel petai hi'n ganol dydd. A dweud y gwir, mae'r
ffrwydradau yn ei gwneud hi'n llawer haws i mi weld y
papur er mwyn ysgrifennu'r llythyr hwn wrth olau
cannwyll – dyna ymarferol. Mae'r Führer yn meddwl
am bopeth!

Mae ei 'gyfeillion' wedi bod yn ailgynllunio pensaernïaeth y ddinas hefyd, a chreu cryn dipyn o stŵr a chyffro. Yn wir, gellir gweld yn glir o'r fan hyn mai adeiladau heb ffenestri yw'r chwiw bensaernïol newydd. Dydw i ddim yn siŵr pa mor hapus fydd y Führer, fodd bynnag, oherwydd mae rhai o'r adeiladau hynny'n edrych fel petaen nhw mewn perygl o syrthio. Gallwn ddweud bod y lle'n edrych fel parth rhyfel! Efallai dy fod ti wedi bod yn gwylio'r sbectacl o ble bynnag yr wyt ti. Mae'n wledd i'r llygaid, on'd yw hi?

Mae'n bosib dy fod ti wedi clywed bod y Führer wedi dod allan o'i fyncer heddiw i siarad gyda'r holl fechgyn sydd wedi cynnig eu hunain ar gyfer yr anrhydedd o ymuno â'r SS. Mae'n debyg iddyn nhw fod yn awyddus iawn i farw drosto wrth amddiffyn prifddinas ei Drydydd Reich tragwyddol. Pwy sydd ddim yn breuddwydio am farwolaeth odidog? Wedi dweud hynny, mae gen i ryw glem bellach beth oedd yr unig ddewis arall oedd yn agored iddyn nhw. Gwelais sawl bachgen wrth i mi fynd allan yn gynharach i geisio gwario fy nogn bwyd arbennig – anrheg ben blwydd hael tu hwnt oddi wrth y Führer ei hun. Ia, fo sy'n dathlu'i ben blwydd, ond ni sy'n cael anrhegion. Dyna'r math o ddyn ydy o. Yn anffodus, roedd pawb wedi cael yr un syniad gan i mi orfod sefyll mewn ciw am oriau, a dim ond tun bach o foron oedd ar ôl i mi. Rydw i newydd eu bwyta'n oer, gan nad ydy'r popty yn gweithio bellach. Ta waeth, rydw i wedi mynd ar grwydr – mi ddof yn ôl at y bechgyn nad oedden nhw am ymaelodi â'r SS. Crogi oddi ar bolion lampau oedden nhw i gyd, ym mhobman a dweud y gwir, ac nid bechgyn yn unig chwaith ond dynion a merched hefyd, yn filwyr ac yn sifiliaid. Mae'n debyg nad ydy'r Natsïaid o'r farn ein bod ni'n haeddu goroesi rhyfel colledig. Tasen ni wedi bod yn barod i aberthu mwy, mi fydden ni wedi bod yn fuddugoliaethus – y Führer druan. Mae o'n haeddu gwell na phoblach mor ddi-asgwrn cefn.

Mae si ar led y bydd y Rwsiaid yma'n fuan. Tybed a fydd y Führer yn dod allan o'i fyncer i'w cyfarch nhw?

Dim ond breuddwydion sydd ar ôl... fel ein breuddwyd ni o fyw yn ein bwthyn bach clyd ein hunain yn Niwgwl a mynd am dro hir bob dydd ar y traeth, law yn llaw. Mae'n drueni bod y bwthyn wedi'i feddiannu gan lywodraeth Prydain, ond gobeithio y caiff y perchnogion nesaf well lwc na ni. O leia tydy colli popeth ddim yn brifo cymaint bellach. Parch Karl oedd y golled fwyaf i mi ei dioddef, fel rwyt ti'n gwybod – mwy na'r holl arian, y busnesau a'r eiddo – ond roedd hi'n anochel y byddai'r mab yn ochri â'i fam.

A dweud y gwir, dim ond ti sydd gen i bellach, ond ti oedd wastad y peth mwyaf amhrisiadwy i mi. Wrth gwrs, tydy hynny ddim yn newyddion i ti. Rwyt ti wastad wedi bod yn ymwybodol o hynny, dwyt?

O ia, rhag ofn i mi anghofio, rydw i wedi bod yn ymarfer cynganeddu yn ddiweddar. Mae hynny wedi bod yn ffordd braf o lenwi'r amser: dihangfa fach, yn ogystal â thynnu fy sylw oddi wrth y cyrchoedd bomio diddiwedd. Mae'r gynghanedd wastad yn fy helpu i deimlo'n nes atat ti.

Dyma englyn dwi newydd ei lunio i ti (yn y gobaith ei fod o'n gywir!)

Â breuddwyd ym mhob brawddeg anfonwyd
a finnau'n ehedeg;
tithau yng nghwar y garreg:
colled yn nhynged annheg.

Tydy o 'mo'r englyn gorau erioed, dwi'n cydnabod hynny, ac mae o chydig yn rhy sentimental, efallai, ond daw gan un sy'n dy garu di'n fwy na'i fywyd.

Ryw ddydd, efallai'n fuan iawn, pwy a ŵyr, cawn fod efo'n gilydd unwaith eto, yn rhywle lle na fydd neb yn ein barnu ni, rhywle lle gallwn ni fod yn rhydd.

Tan hynny, aros amdana i, cariad: mi ddof.

Gyda'm holl gariad,

Friedrich

Pennod 30

15:16, brynhawn Sadwrn, 6ed Awst 2022.

Llwyfan y Llannerch, Maes Eisteddfod Genedlaethol Ceredigion, Tregaron.

'Sut wyt ti'n teimlo?' gofynnodd Seiriol.

'Dwi'n crynu fel deilen,' atebais yn dawel.

Roedd hi'n brynhawn heulog a thwym o haf, a ninnau'n eistedd y tu allan o dan awyr las gyda dim ond ambell gwmwl gwlanog ynddi. Mor wahanol i ddydd Sadwrn olaf yr Eisteddfod yn Llanrwst dair blynedd ynghynt, a drodd yn foddfa oherwydd y glaw a'r gwyntoedd cryfion.

'Wel, dim bob dydd rwyt ti'n cael adrodd cerdd yn gyhoeddus yn ystod digwyddiad "Edrych yn ôl ar yr wythnos gyda chriw Podlediad Clera",' meddai Seiriol wrth iddo edrych i lawr ar restr digwyddiadau Llwyfan y Llannerch, 'a hynny o flaen holl Brifeirdd Cymru!'

Ochneidiais. 'Diolch am f'atgoffa i!'

'Paid â phoeni,' meddai, gan wasgu fy mhen-glin yn gysurlon, 'mi fyddi di'n wych.'

'Diolch i ti,' atebais a'i gusanu ar ei foch. 'Wnei di gymryd Alaw? Bydd fy nhro i'n fuan, mae'n debyg.'

'Wrth gwrs,' meddai Seiriol wrth droi i edrych ar ein merch fach naw mis oed.

'*Sei ein braves Mädchen für Mama, ja?*' sibrydais yn nghlust Alaw, a'i chusanu ar ei thrwyn. Gwenodd Alaw o glust i glust a checian chwerthin wrth edrych i fyw fy llygaid. Toddodd fy nghalon unwaith eto. Roeddwn i'n ei charu hi gymaint.

'Ty'd at Dad!' meddai Seiriol, gan wenu'n braf wrth i mi'i phasio iddo. Cwynodd Alaw am ychydig, ond tawelodd yn reit sydyn a thaflu'i breichiau am wddf ei thad.

Roedd yn drueni nad oedd modd i Mair fod yma heddiw, a hithau'n gaeth i'w thŷ bellach, bron â bod. Ond o leiaf roeddem wedi llwyddo i ddod o hyd i wasanaeth gofal a chymorth yn y cartref ar ei chyfer, ac roeddwn wedi cael cyflwyno fy nwy ffrind gorau i'w gilydd o'r diwedd pan ddaeth Silke a Markus i ymweld â ni ym Mlaenau Ffestiniog am y tro cyntaf wythnos ynghynt.

Y tu ôl i ni roedd rhesi o bobl arswydus o ddiwylliedig a gwybodus yn eistedd ar fêls gwair a meinciau pren, heb sôn am y rhai oedd yn sefyll y tu ôl iddyn nhw ar y glaswellt. Byddai'r cyfan oll yn siŵr o wgu ar fy englyn bach i. Fel y soniodd Seiriol, roedd sawl Prifardd yn eu plith, heb sôn am y beirdd oedd ar y llwyfan bach, twt, yn pwyso a mesur eu profiadau o'r Eisteddfod hirddisgwyliedig, fendigedig hon: Aneirin Karadog, Eurig Salisbury, Gruffudd Antur, Llio Maddocks, Buddug Roberts a Jo Heyde. Roedd presenoldeb Jo ar y llwyfan yn gysur mawr i mi, rhaid cyfaddef, o ystyried ein bod yn ffrindiau da bellach. Fel fi, doedd hi ddim yn Gymraes, ond yn hanu o Lundain, a doedd hithau chwaith ddim wedi bod yn cynganeddu am amser hir. Wedi dweud hynny, roedd hi mewn galaeth wahanol i mi fel bardd, a hithau wedi ennill y Gadair yn Eisteddfod Llandudoch fis Mai, a chafodd – yn haeddiannol iawn – gryn dipyn o sylw gan y wasg yng Nghymru. Yn wir, roedd Jo yn un o griw o gyfeillion newydd yn y byd barddonol Cymraeg, ac roedd Seiriol, Alaw a minnau wedi treulio llawer iawn o amser yn eu cwmni dros yr wythnos yn Nhregaron. Roeddem wedi mynychu llwyth o ddigwyddiadau a gigs gyda'n gilydd yn y Babell Lên, y Tŷ Gwerin a'r Clwb Rygbi... nes i Alaw flino a phenderfynu ei bod yn amser i ni fynd adref, hynny yw!

Allwn i ddim credu i mi gael fy ngwahodd i gymryd rhan yn y digwyddiad hwn, oedd hefyd yn cael ei recordio ar gyfer y bennod nesaf o Bodlediad Clera. Daeth yr enw 'Clera' o deithiau beirdd y Canol Oesoedd o amgylch Cymru, yn canu mawl yn gyfnewid am lety a rhoddion, a'r ddau Brifglerwr cyfoes oedd Eurig Salisbury ac Aneirin Karadog, heb anghofio'u Posfeistr ffyddlon, Gruffudd Antur. Gwrandewais ar Aneirin yn annerch o'r llwyfan.

'Ewn ni ymla'n at yr Orffwysgerdd?' meddai. 'Wel, atat ti, Buddug...'

Gorffwysgerdd: roedd hwnnw wedi bod yn air anghyfarwydd cyn i mi ddechrau gwrando ar Bodlediad Clera a chael fy nghyfareddu ganddo. Ond, a bod yn deg, gair newydd oedd e, wedi'i fathu gan Eurig ac yn gyfuniad o'r geiriau 'gorffwysfa' a 'cerdd'.

Roedd fy nerfau'n yfflon wrth i Buddug Roberts, bardd ifanc a wnâi i mi, yn 29 oed, deimlo'n hen, ddechrau sôn am yr hyn oedd wedi'i hysbrydoli a hanfod ei cherdd 'Hiraeth Haf': ei theimladau o hiraethu am yr Eisteddfod a digwyddiadau tebyg yn ystod y cyfnod clo. Dyna rywbeth roeddem i gyd yn gallu uniaethu ag ef, meddyliais.

Ar ôl i Buddug orffen datgan ei cherdd grefftus a theimladwy, daeth fy nhro i.

'Nesaf,' datganodd Aneirin yn frwd, wrth nodio arnaf i gadarnhau bod fy nhro i wedi dod, 'gan ein bod ni'n dathlu cael dychwelyd i'r Maes am y tro cyntaf ers Eisteddfod Dyffryn Conwy yn Llanrwst yn 2019, ry'n ni am gael *ail* Orffwysgerdd, ac i'w datgan, hoffwn wahodd bardd newydd arall, Katja Fischer, i ddod i'r llwyfan.'

Codais yn ansicr a cherdded tuag at y llwyfan, a darn papur gwerthfawr yn fy llaw chwyslyd. Fel petai'n gallu darllen fy meddwl, gwenodd Jo arnaf yn galonogol o'r llwyfan. Roedd hi, fel Silke, yn gallu synhwyro bob tro y byddwn i angen cefnogaeth, ac yn gwybod yn union beth i'w ddweud.

'Mae Katja wedi symud i Gymru o'r Almaen y llynedd,' eglurodd Aneirin wrth i mi gyrraedd y llwyfan. 'Roedd hi'n rhugl ei Chymraeg cyn hynny, ond bellach mae hi wedi mynd ati i ddysgu cynganeddu hefyd, fel Buddug a Jo, sy'n wych. Mae angen mwy o bobl fel ti arnon ni, Katja!'

'Oes, ti'n llygad dy le, fanna, Nei,' ategodd Eurig Salisbury.

'Odw glei! Bu Mererid Hopwood a Karen Owen yn diwtoriaid i Katja yn ystod cwrs cynganeddu preswyl i ferched yn Nhŷ Newydd fis Mehefin, ac yn ôl y sôn,' meddai Aneirin wrth droi ataf i, 'rwyt ti wedi cael blas mawr ar y gynghanedd, Katja!'

Estynnodd feicroffon i mi.

'Do, Nei, yn sicr,' atebais i mewn i'r meicroffon, a chael fy synnu gan fy llais fy hun oedd yn cael ei chwyddo a'i daflu ar hyd a lled y Maes. 'Roedd yn brofiad bythgofiadwy.'

'Mae'n braf iawn clywed hynny. Felly, be sydd gen ti ar ein cyfer ni ar gyfer yr ail Orffwysgerdd?'

'Englyn, Nei, ond ga' i ddweud ambell air o gyflwyniad yn gyntaf, os gweli di'n dda?'

'Cei, wrth gwrs! Ffwrdd â ti.'

'Diolch. Wel,' dywedais wrth droi at y gynulleidfa ddisgwylgar, 'mae'r llwybr sydd wedi fy arwain i'r fan hyn yn un rhyfedd iawn. Fel y mae rhai ohonoch chi'n gwybod, cwrddais â fy mhartner, Seiriol, oherwydd i ni ddarganfod bod ein hen, hen deidiau, un o Flaenau Ffestiniog a'r llall o Ferlin, yn gariadon. Cyfrinach oedd hynny, wrth gwrs, ganrif yn ôl, a bu'n rhaid iddyn nhw guddio natur eu perthynas am flynyddoedd maith. Ond y gwir yw bod eu cariad yn dân, yn goelcerth yn wir, er nad oedd neb arall yn gallu teimlo gwres ei fflamau – cariad nad oedd yn gallu byw'n agored, a chariad na fyddai byth yn marw, hyd yn oed ar ôl i'r ddau ohonyn nhw, Alun a Friedrich, un ar ôl y llall, adael yr hen fyd 'ma o dan amgylchiadau...

dramatig iawn, a dweud y lleiaf. Llechodd eu cyfrinach yn y tywyllwch hyd nes y diwrnod hwnnw, union dair blynedd yn ôl, ar Faes Eisteddfod Genedlaethol Llanrwst, pan gynheuodd gwreichionen olaf y tân mud hwnnw dân arall: tân cariad eu gor-orwyrion. Felly,' meddais, yn gryndod i gyd, 'dyma englyn a luniais yn ddiweddar er cof amdanyn nhw, ac er mwyn diolch iddyn nhw am y math o gyfoeth nad o'n i erioed wedi gallu breuddwydio amdano.'

Cliriais fy ngwddf wrth i mi frwydro i atal fy nagrau. 'Dyma "Englyn Alun a Friedrich" felly...

'O'n hesgyrn, tân sy'n mudlosgi, adain
        marwydos sy'n codi
    â'r awen i ddadeni
    ulw noeth fy nghalon i.'